# French Legal Syst
# and Legal Langu

# French Legal System and Legal Language:
## An Introduction in French

Catherine Elliott
Carole Geirnaert
Florence Houssais

 LONGMAN

London and New York

Addison Wesley Longman Limited
Edinburgh Gate
Harlow
Essex CM20 2JE
United Kingdom
*and Associated Companies throughout the world*

*Published in the United States of America*
*by Addison Wesley Longman Inc., New York*

First published 1998

ISBN 0 582-31718-5

**British Library Cataloguing-in-Publication Data**

A catalogue record for this book is available from the
British Library

Set by 35 in 10/12pt Sabon
Produced by Addison Wesley Longman Singapore (Pte) Ltd.,
Printed in Singapore

# Table des matières

Préface par Myriam Ezratty-Bader     vii

Authors' Preface and Acknowledgements     viii

Translator's remarks     ix

**Unit 1   Evolution juridique**     **1**
Part I   L'ancien droit et le droit intermédiaire     1
    II   Le Code civil     4

**Unit 2   Le cadre constitutionnel**     **8**
Part I   L'avènement de la V<sup>e</sup> République     8
    II   Le président de la République     10
   III   Le Gouvernement     14
   IV   Le Parlement     17

**Unit 3   Les sources du droit écrit**     **20**
Part I   La Constitution     20
    II   Les lois organiques     22
   III   Les traités et le droit communautaire     23
   IV   La loi     25
    V   Les ordonnances et les règlements     26

**Unit 4   Les sources du droit non écrit**     **30**
Part I   La jurisprudence     30
    II   Les autres sources du droit non écrit     32

**Unit 5   L'organisation de l'ordre judiciaire**     **35**
Part I   Les principes généraux du système judiciaire     35
    II   Les juridictions civiles     36
   III   Les juridictions pénales     40

**Unit 6   L'organisation de l'ordre administratif**     **46**
Part I   Le Conseil d'Etat     46
    II   Les juridictions de droit commun et les juridictions spécialisées     48

**Unit 7   Juridictions non rattachées**     **52**
Part I   Le Tribunal des conflits     52
    II   Le Conseil constitutionnel     53
   III   La Haute cour de justice et la Cour de justice de la République     56

**Unit 8    La décision de justice                                      61**
Part I    La rédaction des décisions de justice                 61
     II    La citation des décisions de justice                     67

**Unit 9    La procédure civile                                        70**
Part I    L'action en justice                                         70
     II    La mise en état                                              72
    III    L'audience                                                    75

**Unit 10   La procédure penale                                     79**
Part I    Introduction                                                79
     II    L'enquête                                                     82
    III    L'instruction                                                 85
    IV    Le procès                                                    88

**Unit 11   La procédure administrative                          92**
Part I    Les caractères généraux de la procédure administrative    92
     II    L'instruction et l'audience                              94

**Unit 12   Le personnel judiciaire                                97**
Part I    Juges et magistrats                                       97
     II    L'avocat                                                     101
    III    Les officiers ministériels                                103

**Unit 13   Les études de droit                                    108**
Part I    La dissertation juridique                                108
     II    Le commentaire d'arrêt et la fiche d'arrêt           113

**Unit 14   La formation du juriste                              122**
Part I    Les diplômes universitaires                             122
     II    Les formations professionnelles                        125

Appendix 1   How to use a French law library                 129

Appendix 2   The French Constitution of 1958                 135

Glossary                                                          151

Bibliography                                                      168

Answers to exercises                                          170

Index                                                             186

# Préface

Les systèmes de droit nationaux, comme les langues dans lesqueis ils sont exprimés, sont intimement liés à la culture d'un pays, forgée par son histoire, son organisation sociale, son régime politique, ses références économiques. Même lorsqu'ils adhèrent à des principes et des règles communes – ainsi en est-il des Etats formant l'Union européenne – les concepts juridiques et les modes processuels diffèrent souvent profondément d'un pays à l'autre.

Tel est, notamment, le cas de la France et de la Grande-Bretagne. Ces spécificités créent, tant pour les comparatistes que pour les traducteurs, des difficultés extrêmes, dès lors qu'il faut exposer des notions ou décrire des institutions qui n'ont pas de correspondance chez l'autre.

L'un des grands mérites des auteurs du présent ouvrage – modestement qualifié d'introduction à la langue et au système juridique français – est d'aborder ces obstacles en usant d'une méthode aussi originale que rationnelle; traiter simultanément les thèmes qui constituent la matière du livre avec les questions linguistiques liées à chacun d'eux; relier chaque thème à son contexte historique et à son cadre d'application actuel.

Louons aussi la richesse et la variété du contenu qu'un champ très vaste, puisqu'il va des sources du droit et de l'exposé des principes fondamentaux régissant la hiérarchie des textes et l'organisation judiciaire en France, jusqu'aux aspects pratiques, tels la rédaction d'une décision de justice, le déroulement d'un procès civil ou pénal, la formation des juristes ou, encore, la manière d'utiliser une bibliothèque juridique.

Le lecteur sera certainement séduit par la qualité pédagogique du livre ainsi que par son caractère attractif, voire ludique (caricatures, mots croisés, points d'actualité . . .).

Je lui souhaite le succès qu'il mérite, non seulement auprès des juristes et futurs juristes, mais aussi auprès d'un large public soucieux de s'initier à ce magnifique instrument de culture: le Droit.

**Myriam Ezratty-Bader**
Premier Président honoraire de la Cour d'Appel de Paris
President of the Franco-British Lawyers Society

# *Authors' Preface*

This book aims to provide an introduction to the French legal system and to develop linguistic skills through the provision of legal terminology in context. Also considered are practical issues such as the use of a French library and the understanding of French judgments.

To aid comprehension, the material is broken down into concise Units which contain short texts in French, with translations of key legal vocabulary. Each section is followed by exercises to assist the learning process, with answers provided at the back of the book. Extracts of topical articles from French newspapers and periodicals, essay questions and further reading from French legal texts are included at the end of each Unit.

The book will be ideal for all those interested in the French legal system and legal language, including students of French law, European Studies and comparative law, language students, practising lawyers and independent learners.

## Acknowledgements

We would like to take this opportunity to thank the City Solicitors' Educational Trust for their generous support in the preparation of this book. We are also grateful for the kind help of M. Franck Marmoz, lecturer in law at the Jean Moulin University in Lyon.

We have unfortunately been unable to trace the copyright holder/s of two extracts from *L'Evènement du jeudi* and would appreciate any information which would enable us to do so.

# Translator's remarks

After each passage a list of vocabulary is provided containing primarily legal terms, though other commonly recurring words and phrases are also included. Terminology which is included in the vocabulary list is printed in bold in the text unless it is part of a sub-title. Translation of the vocabulary is provided where appropriate, but in view of the fundamental differences between the English and French legal systems this is often not possible; in these instances, the abbreviation "n.t." is used to denote "non-translatable". The n.t. term is normally explained more fully in the text and, where appropriate, a further explanation in English is given in italics. The authoritative monolingual dictionary *Petit Robert* has been used to standardise the use of capital letters. When quoting directly from a book or newspaper article, the punctuation of the original extract has been kept.

We would like to acknowledge the invaluable guidance on translation issues provided by Martin Weston's excellent *An English Reader's Guide to the French Legal System*.

# Unit 1

# EVOLUTION JURIDIQUE

## **PART 1** *L'ancien droit et le droit intermédiaire*

### L'ancien droit

Les Romains ont vaincu la France, appelée à cette époque **la Gaule**, en l'an 52 avant Jésus-Christ. C'est principalement dans le sud de la France que l'influence du **droit romain** se ressent. Avec les invasions barbares d'origine germanique au V$^e$ siècle, on assiste à la fin de l'empire romain. Pendant cette période, deux groupes d'habitants cohabitent en Gaule, les Gallo-Romains et les Barbares. Chacun d'eux conserve leur propre système de droit, le droit romain pour les Gallo-Romains et le droit germanique pour les Barbares. Les habitants de la Gaule sont alors soumis au **système** dit **de la personnalité des lois.**

Face à ce mélange de races, ce système ne pouvait durer et **le système de la territorialité** s'est substitué au système de la personnalité. Depuis lors, le droit des individus n'est plus celui des ancêtres mais celui de la région. **Les pays de droit écrit** au sud de la France appliquent le droit romain. **Les pays de coutumes** au nord de la France appliquent surtout **les coutumes germaniques**. La période de l'ancien droit s'arrête avec la Révolution du 14 juillet 1789. Elle est caractérisée par l'inégalité et la contrainte.

### L'inégalité

La société est divisée en trois classes: la noblesse, le clergé (ce sont des classes privilégiées) et **le Tiers Etat**. **Le droit d'aînesse** attribuant l'ensemble du **patrimoine immobilier** à un seul enfant contribue à créer une inégalité parmi les membres de la famille.

1

**La contrainte**

L'individu est enfermé dans une structure rigide. Ainsi, **au sein de** la famille, la femme est soumise à son époux et n'a pas capacité à conclure un contrat sans l'accord de celui-ci.

## Le droit intermédiaire

C'est le droit qui s'applique pendant la période révolutionnaire de 1789 jusqu'à **la promulgation** du **Code civil** en 1804. **La Déclaration des droits de l'homme et du citoyen**, toujours **en vigueur**, est une des premières **lois** révolutionnaires à être **promulguées**.

Le droit intermédiaire est marqué par l'abolition des inégalités et des contraintes. La liberté individuelle est **accrue** avec **notamment** l'institution du divorce et de **la liberté contractuelle**. Les privilèges sont supprimés, le droit d'aînesse est aboli; les hommes sont désormais égaux. Au nom du principe de **la laïcité**, la seule source du droit sera **étatique**, bien que la séparation définitive de l'Eglise et de l'Etat n'interviendra qu'en 1905. Les partisans de la Révolution cherchent également à homogénéiser les différentes sources de droit en donnant priorité à la loi.

---

**Vocabulaire**

**l'ancien droit**  *pre-revolutionary law*
**la Gaule**  Gaul
**le droit romain**  Roman law
**le système de la personnalité des lois**  personal law (*system of law based on racial origin*)
**le système de la territorialité**  *system of law based on place of residence*
**les pays (m) de droit écrit**  land of written law
**les pays (m) de coutumes**  land of customary law
**les coutumes (f) germaniques**  Germanic customs
**le Tiers Etat**  the Third Estate
**le droit d'aînesse**  primogeniture (*law whereby an estate passes to the eldest male*)
**le patrimoine immobilier**  immovable property (*land and buildings*)

**au sein de**  within
**le droit intermédiaire**  intermediate law
**la promulgation**  promulgation (*publication that brings into force*)
**le Code civil**  Civil Code
**la Déclaration des droits de l'homme et du citoyen**  Declaration of the Rights of Man (modern translation: Declaration of Human and Civil Rights)
**en vigueur**  in force
**la loi**  (here) piece of legislation
**promulguer**  to promulgate, to pass
**accru** (*infinitive: accroître*)  increased, enhanced
**notamment**  in particular
**la liberté contractuelle**  freedom to enter into a contract
**la laïcité**  secularity
**étatique**  derived from the state

---

## Exercice 1

*Fill in the gaps in this flow chart using the terms given in the list below:*

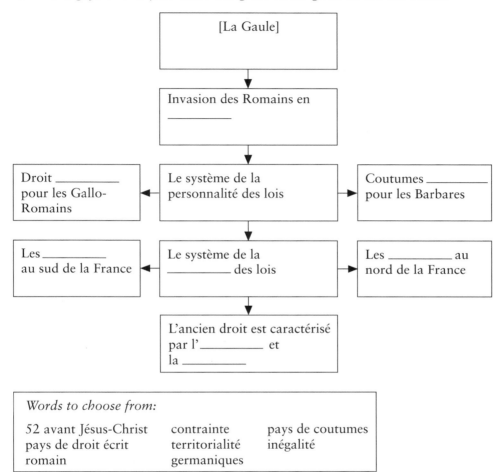

| | [La Gaule] | |
|---|---|---|
| | ↓ | |
| | Invasion des Romains en _____ | |
| | ↓ | |
| Droit _____ pour les Gallo-Romains | ← Le système de la personnalité des lois → | Coutumes _____ pour les Barbares |
| | ↓ | |
| Les _____ au sud de la France | ← Le système de la _____ des lois → | Les _____ au nord de la France |
| | ↓ | |
| | L'ancien droit est caractérisé par l'_____ et la _____ | |

Words to choose from:

52 avant Jésus-Christ   contrainte   pays de coutumes
pays de droit écrit   territorialité   inégalité
romain   germaniques

## Exercice 2

*Match the term in column **A** to the associated term in column **B**.*

**A**

le Code Napoléon
une loi révolutionnaire
la liberté individuelle
le principe de la laïcité
l'inégalité

**B**

le droit d'aînesse
le Code civil
la sécularisation du droit
la liberté contractuelle
la Déclaration des droits de l'homme et
  du citoyen

# PART II *Le Code civil*

Promulgué en 1804, le Code civil est encore communément appelé Code Napoléon. C'est Napoléon qui nomme quatre éminents **juristes**, chargés de préparer un projet de Code civil: Tronchet, premier magistrat de France en tant que président du Tribunal de cassation, Portalis, Bigot de Préameneu et Maleville. Brillants législateurs révolutionnaires, issus des pays de droit écrit et des pays de coutumes, ils réussissent à intégrer dans le Code civil l'esprit du droit intermédiaire et certaines notions de l'ancien droit. Vers la fin de sa vie, Napoléon aurait dit: «Ma vraie gloire n'est pas d'avoir gagné quarante batailles, Waterloo effacera le souvenir de tant de victoires, ce que rien n'effacera, ce qui vivra éternellement, c'est mon Code civil».

## Les traits caractéristiques du Code civil

Les **rédacteurs** du Code posent les principes généraux du droit civil, évitant la rédaction d'une codification trop détaillée. Le Code civil garde l'esprit de la période révolutionnaire: liberté, égalité, laïcité. Il renforce le principe de la liberté contractuelle et de la liberté individuelle.

## Depuis le Code civil

Le Code civil n'est pas la seule oeuvre de Napoléon; il a également doté la France du **Code de procédure civile** en 1806, du **Code de commerce** en 1807, du **Code d'instruction criminelle** en 1808 et du **Code pénal** en 1810. Jusqu'à la Deuxième Guerre mondiale, l'évolution du droit n'a pas subi de grand changement. A partir de 1958, certaines parties du Code civil ont fait l'objet de réformes successives, quoique limitées. **En revanche**, en ce qui concerne les autres codes, les réformes ont été plus énergiques.

## La règle de droit

Dans le système juridique français, le terme «règle de droit» désigne tous les textes **édictés** par le pouvoir législatif (le Parlement) et par le pouvoir réglementaire (le gouvernement et les autorités administratives). C'est la manifestation de l'autorité publique. Dans **la hiérarchie des normes juridiques**, la règle de droit se situe au-dessus de **la jurisprudence** (voir Unit 4, Part I). Lorsqu'en France les juges rendent des décisions, ils ne créent pas de règles de droit, ils ne font pas le droit, ils ne font qu'appliquer le droit. La règle de droit dans le système français admet des formules générales, sans entrer dans les détails, elle laisse plus d'appréciation aux juges. Leurs décisions ne sont que des **décisions d'espèce**.

On peut traduire le terme «règle de droit» par le terme anglais «legal rules». Pourtant la notion de *legal rules* dans le système de *common law* diffère de la notion de «règle de droit» en droit français. Les *legal rules* émanent non seulement du pouvoir législatif et réglementaire, mais aussi des décisions des juges. Dans les pays de *common law* lorsque les juges rendent des décisions ils peuvent créer le droit; leurs décisions **ont** alors **force de précédent**.

4

## Règles impératives et règles supplétives

Les juristes français établissent une distinction entre les règles impératives et les règles supplétives. Dans le souci de respecter l'intérêt général, **le législateur** a édicté des règles impératives qui s'appliquent obligatoirement aux particuliers. En revanche, l'application des règles supplétives est facultative; ces règles ne s'appliquent pas si les particuliers choisissent d'autres règles. Par exemple, l'article 144 du Code civil selon lequel «l'homme **avant 18 ans révolus**, la femme avant 15 ans révolus ne peuvent contracter mariage» est une règle impérative. Son application ne peut être écartée par les parties qui souhaitent se marier et qui n'ont pas atteint l'âge légal. Au contraire, dans un contrat de vente l'article 1583 du Code civil, selon lequel le contrat de vente existe «dès qu'on est convenu de la chose et du prix», s'applique lorsque les parties n'ont pas prévu d'autres **dispositions**.

---

**Vocabulaire**

| | |
|---|---|
| **le juriste**  lawyer | **la hiérarchie des normes juridiques**  hierarchy of legal rules |
| **le rédacteur**  drafter, writer | **la jurisprudence**  case law |
| **le Code de procédure civile**  Code of Civil Procedure | **la décision d'espèce**  decision on the facts |
| **le Code de commerce**  Commercial Code | **avoir force de précédent**  to constitute a precedent |
| **le Code d'instruction criminelle**  Code of Criminal Procedure | **la règle impérative**  mandatory rule |
| **le Code pénal**  Criminal Code | **la règle supplétive**  non-mandatory rule |
| **en revanche**  on the other hand | **le législateur**  legislator |
| **la règle de droit**  legal rule | **avant...ans révolus**  before turning... |
| **édicté**  drawn up | **la disposition**  provision |

---

# Exercice 3

*Fill in the gaps in the following passage using the terms provided.*

## Introduction

Deux périodes doivent être distinguées, de très inégale longueur, mais d'égale importance pour la formation du Code civil:_____, c'est-à-dire tout le droit antérieur au 14 juillet _____ et _____ (entre l'ancien droit et le Code civil), c'est-à-dire le droit de la Révolution.

## L'ancien droit

Quant à la forme, l'ancien droit se caractérise par une extrême _____. C'est d'abord la diversité territoriale. D'une province à l'autre, le droit n'est pas le même: il faut séparer _____ (romain) au sud de la France et _____ (imprégnés de droit germanique) dans le reste de la France.

## Le droit intermédiaire

Dans cette période, où les idées _____ imprègnent le droit, la contrainte et l'inégalité disparaissent.

## Le Code civil

Le Code civil de 1804 a été préparé par une commission de quatre juristes: _____, président du Tribunal de cassation, _____, Bigot de Préameneu et Maleville.

On trouve dans le Code civil une matière venue de l'ancien droit, toute une masse de dispositions empruntées au droit romain et aux coutumes. Mais il faut voir d'où vient l'esprit qui anime la matière: c'est de la _____. Le Code civil tient de là les traits essentiels de son idéologie:

(a) Négativement, _____. Le Code civil a été le premier à séparer de l'Eglise le droit civil.

(b) Positivement, l'individualisme. Expression civiliste de la Déclaration des droits de l'homme et du citoyen, le Code civil paraît comme une triple exaltation de l'égalité, de la _____, de la volonté de l'homme.

| Words to choose from: | | |
|---|---|---|
| Portalis | pays de droit écrit | pays de coutumes |
| le droit intermédiaire | 1789 | Révolution |
| diversité | l'ancien droit | la laïcité |
| liberté | Tronchet | révolutionnaires |

(Extract adapted from Jean Carbonnier, *Droit civil. Introduction. Les personnes*, pp. 73–74)

# Exercice 4

*A clear example of the distinction between "ce qui" and "ce que" is found in this Unit in the phrase:*

**ce que** rien n'effacera, **ce qui** vivra éternellement, c'est mon Code civil.

"Ce que" refers to the **object** of the verb and "ce qui" refers to the **subject** of the verb.

*Write the appropriate term "ce qui" or "ce que" in the gaps in the sentences below.*

1 Le public français est trop éloigné de _____ constitue son passé historique.

2 _____ je n'arrive pas à comprendre, c'est la distinction entre l'ancien droit et le droit intermédiaire.

3 Tu sais _____ veut dire «la personnalité des lois»?

4 D'après _____ j'ai compris, _____ caractérise l'ancien droit, c'est l'inégalité et la contrainte.

5 Avec la codification, le concept de la famille change, _____ rend la structure familiale plus egal.

## Dissertation

«La connaissance de [l'ancien droit] est indispensable pour une bonne compréhension du droit positif actuel.» (*Traité de Droit Civil. Introduction Générale*, par Jacques Ghestin, p. 84)

Etes-vous en accord avec cette déclaration de Jacques Ghestin?

## Further reading

Jean Carbonnier, *Droit civil. Introduction. Les personnes*, Paris: Dalloz.
René David, *Le Droit français. Tome 1: les données fondamentales du droit français*, Paris: Librairie générale de droit et de jurisprudence.
Jacques Ghestin and Gilles Goubeaux, *Traité de droit civil. Tome 1. Introduction générale*, Paris: Librairie générale de droit et de jurisprudence.

# Unit **2**

# LE CADRE CONSTITUTIONNEL

## **PART I** *L'avènement de la V$^e$ République*

La IV$^e$ République est née en 1946, au lendemain de la Deuxième Guerre mondiale. Dès lors, 24 gouvernements se succèdent sur une période de douze ans. Cette instabilité s'explique par la faiblesse des structures politiques **engendrées** par le système de la représentation proportionnelle favorisant les coalitions qui, trop fragiles et précaires, ne durent pas. Cette situation, génératrice d'immobilisme, révèle les difficultés qu'avait le régime à résoudre les problèmes **de fond**, à savoir les questions financières, la réforme des institutions et surtout la décolonisation.

Cette paralysie des institutions provoque ce qu'on appelle «l'affaire algérienne». Le 13 mai 1958, à Alger, sous l'oeil passif de l'armée, une foule composée en majorité d'Européens a **pris d'assaut le Gouvernement Général**, siège du pouvoir français en Algérie. C'est au général de Gaulle, personnalité de premier plan, qu'on fait appel pour régler le problème algérien et pour former un nouveau gouvernement. Le 27 mai 1958, il déclare «avoir **entamé** le processus régulier nécessaire à l'établissement d'un gouvernement républicain». Rappelé au pouvoir, il donne priorité à la réforme des institutions de la IV$^e$ République.

Une fois **le projet d'élaboration** de la nouvelle Constitution **mis au point** par le gouvernement du général de Gaulle, celui-ci présente le nouveau texte au peuple français qui l'adopte par référendum le 28 septembre 1958, à près de 80% de majorité. Sa promulgation, le 4 octobre 1958, marque officiellement la naissance de la V$^e$ République.

### Les principes de la V$^e$ République

La Constitution de la V$^e$ République **s'efforce de** restaurer la stabilité, la cohésion, l'efficacité ainsi que le prestige et l'autorité de l'Etat. Cette Constitution repose sur les principes suivants:

- rôle limité du Parlement
- renforcement du rôle du président de la République
- le gouvernement **est responsable devant** le Parlement
- indépendance de **l'autorité judiciaire**
- création du Conseil constitutionnel chargé de **veiller au respect de** la Constitution.

---

**Vocabulaire**

| | |
|---|---|
| **l'avènement (m)** advent | **mettre au point** to finalise |
| **engendrer** to engender, generate | **s'efforcer de** to endeavour to |
| **de fond** fundamental | **être responsable devant** to be |
| **prendre d'assaut** to storm | answerable to |
| **le Gouvernement Général** | **l'autorité (f) judiciaire** judiciary, judicial |
| Government House | power |
| **entamer** to initiate | **veiller au respect de** to oversee |
| **le projet d'élaboration** drafting | compliance with |

---

# Exercice 1

*This text contains several adjectives derived from past participles: e.g. "un régime déséquilibré". Put the following infinitives into their correct adjectival form and make them agree with the corresponding noun.*

**1** un président _____ (élire)

**2** des problèmes _____ (résoudre)

**3** les pouvoirs _____ (renforcer)

**4** une doctrine _____ (établir)

**5** une constitution _____ (écrire)

# Points d'actualité

### L'appel pour changer la République

«Changer la République»: tel est l'ordre du jour qu'imposent, selon cinq spécialistes de science politique et de droit public, la dissolution de l'Assemblée nationale et le scepticisme qu'inspire aux Français la campagne électorale. Guy Carcassonne, Olivier Duhamel, Yves Mény, Hugues Portelli et Georges Vedel ont rédigé un texte dans lequel ils constatent que la France «tourne en rond».

La V^e République va bientôt fêter son quarantième anniversaire, ce qui est un quasi-record dans notre histoire constitutionnelle tourmentée. Les Françaises et les Français y sont très attachés mais notre démocratie, elle, ne se porte pas bien. Trop de jeunes ne s'inscrivent même plus sur les listes électorales, l'abstention monte presque à chaque élection. Nous sommes le seul pays européen, avec l'Autriche, où l'extrême droite s'installe très au-dessus de 10%. Chaque semaine, ou presque, éclate une nouvelle «*affaire*». La représentation politique est confisquée par les hommes, l'engagement politique est confisqué par les professionnels.

Les cinq spécialistes appellent à:

– réviser la révision et vivifier le référendum;
– instaurer le quinquennat présidentiel;
– en finir avec le cumul des mandats;
– repenser les pouvoirs locaux;
– rendre l'Etat impartial.

(Adapted from *Le Monde*, mercredi 7 mai 1997)

# **PART II** *Le président de la République*

Le président de la République (qu'on appelle aussi **le chef de l'Etat**) est le plus haut personnage de l'Etat. Le général de Gaulle s'était prononcé en faveur d'un chef de l'Etat aux pouvoirs renforcés lors de son **discours** de Bayeux, le 16 juin 1946. Le principe du rôle accru du président de la République est posé dès les débuts de la V$^e$ République.

Sa **nomination**, la durée de son **mandat** ainsi que ses attributions renforcent le caractère présidentialiste du régime de la V$^e$ République.

## Nomination

La révision constitutionnelle de 1962 institue l'élection du président de la République **au suffrage universel direct**. C'est-à-dire qu'il est **élu** par le peuple. L'article 7 de la Constitution présente les conditions d'éligibilité et le mode de **scrutin majoritaire à deux tours**. L'un des candidats qui obtient **la majorité absolue** des **suffrages exprimés** (la majorité des voix plus une) est élu **au premier tour**. Si aucun des candidats n'obtient la majorité absolue au premier tour, les deux candidats ayant obtenu le plus grand nombre de voix se présentent au deuxième tour. Le candidat élu est celui qui obtient **la majorité relative** (le plus grand nombre des voix).

## Le septennat

Le président de la République, indéfiniment **rééligible**, est élu pour sept ans (art. 6). Compte tenu de l'ampleur des attributions du président, la durée de son mandat est contestée; certains souhaitant le ramener à une durée de cinq ans.

## Les attributions du président de la République

**Les constituants** de 1958 dotent le chef de l'Etat d'un rôle d'arbitre aux prérogatives importantes (art. 5). L'article 19 de la Constitution de 1958 distingue **les pouvoirs propres** que le président exerce sans contrôle du Gouvernement des **pouvoirs partagés**, qu'il ne peut exercer sans recourir au **contreseing** du Premier ministre et des membres du Gouvernement.

Les pouvoirs propres du président sont les suivants:

- nomination du Premier ministre (art. 8)
- recours au référendum (art. 11)
- **dissolution** de l'Assemblée nationale (art. 12)
- exercice des **pleins pouvoirs** (art. 16)
- nomination de trois membres du Conseil constitutionnel (art. 56)
- **saisine** du Conseil constitutionnel (art. 61).

Les pouvoirs partagés du président sont les suivants:

- nomination des autres membres du Gouvernement **sur proposition du** Premier ministre (art. 8)
- promulgation des **lois** (art. 10)
- contreseing des **ordonnances** et des **décrets** délibérés en **Conseil des ministres** (art. 13)
- nomination à tous les emplois civils et militaires de l'Etat (art. 13)
- droit de **faire grâce** (art. 17)
- négociation et ratification des traités (art. 52)
- **garant** de l'indépendance de l'autorité judiciaire (art. 64).

From *Le Monde*, 21 novembre 1986.
By permission of Jean Plantu.

**Vocabulaire**

**le chef de l'Etat**  (French) Head of State
**le discours**  speech
**la nomination**  appointment
**le mandat**  mandate
**au suffrage universel direct**  by direct universal suffrage
**élu (***infinitive: élire***)**  elected
**le scrutin majoritaire à deux tours**
  *election requiring a majority voted in up to two ballots*
**la majorité absolue**  absolute majority
**les suffrages exprimés**  votes cast
**au premier tour**  at the first ballot
**la majorité relative**  relative majority
**le septennat**  seven-year mandate
**rééligible**  eligible to stand again
**les attributions**  powers

**les constituants**  constitutional legislators
**le pouvoir propre**  sole power
**le pouvoir partagé**  shared power
**le contreseing**  counter-signature
**la dissolution**  dissolution
**les pleins pouvoirs**  full (emergency) powers
**la saisine (de)**  submission of a case (to)
**sur proposition de**  on the advice of
**la loi**  Act of Parliament
**une ordonnance**  n.t. (sometimes translated as: ordinance)
**le décret**  decree
**le Conseil des ministres**  n.t. (nearest equivalent: French cabinet)
**faire grâce**  *to grant a presidential pardon*
**le garant**  guarantor

# Exercice 2

*Fill in the correct word horizontally according to the clues given below. When the grid is complete, the blocked section will give a key word for this Unit.*

**1**  le chef de l'Etat (9 lettres)

**2**  allocution publique du général de Gaulle (8 lettres)

**3**  synonyme de "votes" (9 lettres)

**4**  modification d'un article de la Constitution (8 lettres)

**5**  mettre fin légalement à l'Assemblée nationale (9 lettres)

**6**  l'acte de porter devant une juridiction (7 lettres)

**7**  choisir par voie de suffrage (5 lettres)

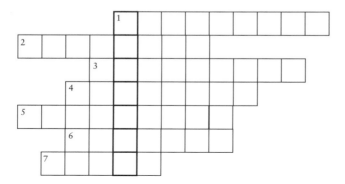

# Points d'actualité

## Réflexion faite, oui au quinquennat

Les institutions de la V<sup>e</sup> République sont bonnes; elles possèdent une souplesse qui leur a permis de survivre au grand homme dont elles sont issues, preuve qu'elles n'ont rien à voir avec le bonapartisme, ainsi qu'à six changements de majorité depuis 1981. Au demeurant, ces institutions, si décriées à l'origine, font aujourd'hui l'unanimité et, si on se pose des questions à leur sujet, ce n'est pas sur les risques qu'elles feraient courir à la démocratie, mais sur leur pérennité. Les institutions n'inquiètent plus. Désormais, on s'inquiète pour elles.

Car ce système politique original, certainement pas présidentiel et plus tout à fait parlementaire, recèle le risque fondamental que les deux majorités, celle qui désigne le président de la République et celle qui élit l'Assemblée nationale, ne coïncident pas. Or, cette éventualité, conjurée pendant vingt et un ans, de 1965, date de la première élection présidentielle au suffrage universel direct, à 1986, vient de se matérialiser pour la troisième fois en onze ans. On est donc en droit de se poser la question: notre subtil mécanisme constitutionnel n'est-il pas détraqué?

Les Français – nous dit-on – aiment la cohabitation. On les comprend: exaspérés par un jeu politique fondé sur un manichéisme étranger à la vie sociale, ils aspirent, même s'ils n'y croient pas vraiment, à ce que des dirigeants contraints de vivre ensemble – le terme même de cohabitation est symptomatique – soient obligés d'unir leurs efforts pour agir dans le même sens. Ce serait beau si c'était vrai; mais c'est faux. La qualité des cohabitants n'est pas en cause: Jacques Chirac et Lionel Jospin abordent celle qui leur est imposée avec une dignité et une modération qui les

honorent; mais chacun porte en lui une vision de l'avenir de notre pays distincte de celle de l'autre, et s'ils insistent tant pour dire que, vis-à-vis de l'étranger, la France parlera d'une seule voix, c'est bien parce que le risque de discordance existe.

La nouvelle cohabitation risque d'être, pour nos institutions, une épreuve plus délicate que les deux précédentes pour la raison excellemment exposée par le doyen Georges Vedel que 5 + 2 ce n'est pas la même chose que 2 + 5 (*Le Monde* du 23 avril). La situation actuelle est bien différente: la cohabitation commence deux ans à peine après l'élection présidentielle et associe – si l'on peut dire – les deux finalistes de 1995. Le président de la République n'est qu'au début de son mandat. Son autorité politique est atteinte, mais sa légitimité est encore neuve.

Nous ne pouvons pas durablement vivre avec un système qui contraint le chef de l'Etat au dilemme de jouer périodiquement le sort des institutions à pile ou face ou à accepter d'être privé d'une part de ses pouvoirs au minimum deux ans sur sept. La solution ne peut venir que de la coïncidence des deux élections, donc de celle de la durée des deux mandats, donc de la réduction à cinq ans de celui du président de la République.

D'autre part, l'expérience montre qu'un septennat est trop court pour imprimer sa marque dans l'Histoire: le général de Gaulle et François Mitterrand l'ont senti et en ont été, chacun à sa façon, les victimes. Mais, quatorze ans, c'est trop long. Entre les deux, dix ans, c'est-à-dire un quinquennat renouvelé, apparaît comme un bon moyen terme. Cette considération politique, alliée aux arguments constitutionnels exposés

# PART III *Le gouvernement*

Le Premier ministre, les ministres et **les secrétaires d'Etat** forment le gouvernement. Le chef de l'Etat et le gouvernement constituent **le pouvoir exécutif**. Les constituants de 1958 renforcent non seulement les prérogatives du chef de l'Etat mais aussi celles du gouvernement. La Constitution confie au gouvernement la responsabilité de déterminer et de conduire la politique de la Nation, il dispose de l'administration (fonction publique) et de la force armée (art. 20).

## Le rôle du Premier ministre

C'est le chef du gouvernement et appartient à la majorité parlementaire. Il est **nommé** par le président de la République qui met fin à ses fonctions sur la présentation de **la démission** du gouvernement (art. 8). Le Premier ministre **anime** l'équipe gouvernementale.

L'article 21 de la Constitution énumère les fonctions du Premier ministre: il est responsable de la Défense nationale, il assure l'exécution des lois, il représente le gouvernement auprès du Parlement, il **dispose du pouvoir réglementaire**. Aux termes de l'article 39, il peut soumettre au Parlement des projets de loi. Dans le cadre de l'exercice des pouvoirs exceptionnels, le président de la République doit le consulter (art. 16). L'évolution du rôle du chef de l'Etat dans la pratique fait que le Premier ministre n'est que le premier des ministres.

### La cohabitation

Lorsque les élections législatives amènent à **l'Assemblée nationale** une majorité opposée aux opinions politiques du président de la République, s'ouvre alors une période de cohabitation. Le président de la République se voit ainsi dans l'obligation de travailler avec un gouvernement issu d'une majorité qui lui est hostile. Dans ces circonstances, les institutions ne peuvent fonctionner, à moins que le président de la République n'accepte de renoncer à une partie de ses prérogatives. De fait, il est obligé de choisir le Premier ministre dans la majorité parlementaire (par ex: François Mitterrand et Jacques Chirac 1986–88, François Mitterrand et Edouard Balladur 1993, Jacques Chirac et Lionel Jospin 1997). Les pouvoirs propres du président restent intacts. A titre d'exemple, il peut refuser de nommer un ministre proposé par le chef du gouvernement.

## Le rôle des autres membres du gouvernement

Aux termes de l'article 23 de la Constitution:

«Les fonctions de membre du Gouvernement sont incompatibles avec l'exercice de tout **mandat parlementaire**, de toute fonction de représentation professionnelle à caractère national et de tout emploi public ou de toute activité professionnelle».

### La hiérarchie des ministres

Le ministre joue à la fois un rôle politique et un rôle administratif (en tant que chef hiérarchique du personnel de son ministère). On distingue donc:

- **le ministre d'Etat** jouit d'un titre **honorifique** et prestigieux qui est attribué à des **personnalités** politiques **de premier plan** pour souligner leur poids politique
- **le ministre** «ordinaire» **à portefeuille** est chargé d'un département ministériel; la catégorie la plus nombreuse et moins prestigieuse que celle du ministre d'Etat
- **le ministre délégué** reçoit délégation du Premier ministre ou d'un ministre pour l'assister dans ses tâches
- **le secrétaire d'Etat** est placé, le plus souvent, auprès d'un ministre ou du Premier ministre pour exercer les attributions que celui-ci lui confie.

### Le Conseil des ministres

La participation des membres du gouvernement au Conseil des ministres est souvent déterminée en fonction de leur importance et de l'objet de la réunion.

Diverses dispositions législatives ou constitutionnelles exigent que certains actes soient pris ou délibérés en Conseil des ministres. Il se réunit chaque semaine, généralement le mercredi matin, à l'Elysée sous la présidence du chef de l'Etat. **A titre exceptionnel**, le Premier ministre peut présider le Conseil des ministres à la place du président de la République.

---

**Vocabulaire**

**le secrétaire d'Etat** n.t. (*equivalent to British junior minister, Parliamentary Under-Secretary*)
**le pouvoir exécutif** executive
**nommé** appointed
**la démission** resignation
**animer** to lead
**disposer du pouvoir réglementaire** to have regulatory powers
**la cohabitation** n.t. (*see text*)
**l'Assemblée (f) nationale** national assembly
**le mandat parlementaire** parliamentary mandate

**le ministre d'Etat** senior minister
**honorifique** honorary
**personnalités de premier plan** key figures
**le ministre à portefeuille** minister with portfolio (*equivalent to British Secretary of State*)
**le ministre délégué** n.t. (*equivalent to British Minister of State*)
**le Conseil des ministres** n.t. (*nearest equivalent: French cabinet*)
**à titre exceptionnel** in exceptional cases

# Exercice 3

*Give the title of the member of the executive who fulfils the following functions.*

1 Celui qui est responsable de la Défense nationale.

2 Celui qui exerce les attributions confiées par un ministre.

3 Celui qui nomme le Premier ministre.

4 Celui qui est placé auprès du Premier ministre pour l'assister.

5 Celui doté d'un titre honorifique.

# Points d'actualité

## Ces élus qu'on examine

Ils sont actuellement une cinquantaine de parlementaires – députés et sénateurs – sur un total de 899, à faire l'objet de poursuites judiciaires ou à avoir été condamnés par un tribunal. Tous, à une ou deux exceptions près, sont soupçonnés d'avoir commis des délits financiers qui ont pour nom recel d'abus de biens sociaux, corruption ou détournement de fonds publics.

Voilà bien la preuve que, contrairement à une idée bien ancrée, la justice passe aussi pour nos élus, redevenus, le temps d'une visite chez le juge d'instruction ou dans le prétoire, des citoyens comme les autres.

Il y a une vingtaine d'années, l'inculpation – rarissime – d'un parlementaire constituait un événement. Quant à une mise en détention, c'était impensable. Aujourd'hui, quel changement! Pour un peu, le recours au mandat de dépôt serait devenu monnaie courante: Les Maurice Arreckx, ancien sénateur du Var, Jean-Pierre Lafond, ex-maire (UDF) de La Ciotat, toujours sénateur des Bouches-de-Rhône, Alain Carignon, ancien ministre de la Communication, Jacques Médecin, ex-député des Alpes-Maritimes et ancien maire de Nice, Claude Pradille (PS), sénateur, ex-maire de Sauve (Gard), ou Michel Mouillot, maire PR de Cannes, en ont été les victimes: ils ont passé – ou passent – de longs mois en prison. Un sort qu'aurait dû également connaître l'ancien député maire (PS) d'Angoulême, Jean-Michel Boucheron, s'il n'avait choisi l'exil en Argentine. L'ex-sénateur RPR de la Réunion, Eric Boyer, sera, lui, plus raisonnable: après quarante-trois jours de clandestinité, en 1993, il finira par se livrer à la justice, avant d'être mis en examen pour corruption et incarcéré.

Pourquoi, aujourd'hui, cette avalanche de mises en examen ou de condamnations? Le slogan «Tous pourris», si souvent entonné par une partie de l'opinion publique, correspondrait-il à la vérité? Une réponse positive serait (beaucoup) trop sommaire et démagogique. En réalité, si bon nombre de parlementaires rendent désormais des comptes à la justice, ils le doivent à la conjonction de trois facteurs essentiels. D'abord, une pugnacité plus grande des magistrats. Ensuite, l'institution de garde-fous, comme les chambres régionales des comptes, qui communiquent souvent leurs rapports aux tribunaux compétents. Enfin, l'émergence de «citoyens justiciers», qui n'hésitent plus à porter plainte contre leurs élus.

(Gilles Gaetner, © *L'Express* 1997)

## PART IV *Le Parlement*

Le Parlement de la V$^e$ République exerce le pouvoir législatif et contrôle l'action du gouvernement. Il est **bicaméral**, divisé en deux chambres: l'Assemblée nationale et le Sénat. Les membres de l'Assemblée nationale sont des **députés** et les membres du Sénat sont des **sénateurs**.

### Les organes parlementaires

La mode d'élection et la durée de mandat des députés et des sénateurs diffèrent puisque les deux chambres sont conçues **pour se faire contrepoids**. Les 577 députés de l'Assemblée nationale sont élus pour cinq ans au suffrage universel direct lors des élections législatives et **siègent** au Palais Bourbon à Paris. Les 321 sénateurs sont élus pour neuf ans **au suffrage indirect**, c'est-à-dire qu'ils sont élus par les maires, **les conseillers généraux** et **régionaux**, et siègent au Palais du Luxembourg.

Les parlementaires sont **irresponsables**. Ils peuvent s'exprimer librement dans le cadre de leur stricte activité parlementaire sans **encourir de poursuites judiciaires**. Les membres du Parlement sont également protégés contre les poursuites pénales pour **crimes** ou **délits**. Ils bénéficient de l'immunité à moins que la chambre dont ils sont membres n'en autorise la levée. C'est ainsi que l'ancien député, Bernard Tapie, **poursuivi au pénal** pour **détournement de fonds** et **escroquerie**, a vu la levée de son immunité parlementaire.

### L'élaboration de la loi

La procédure d'élaboration des lois parlementaires est à l'article 45 de la Constitution. L'initiative de la loi émane soit du gouvernement qui dépose un **projet de loi,** soit d'un parlementaire qui dépose une **proposition de loi**. Pour être adopté définitivement un texte législatif doit être examiné successivement par les deux assemblées. Chaque examen constitue une **lecture**. La succession de lectures est appelée la «**navette**». Elle se poursuit jusqu'à l'adoption d'un texte identique.

Le vote définitif d'une loi par le Parlement ne suffit pas à la rendre obligatoire. Une procédure spécifique doit être respectée qui se déroule en deux temps: **la promulgation** d'abord, la publication ensuite:

- la promulgation est l'acte par lequel le président de la République constate officiellement l'existence de la loi et la rend **exécutoire**. La date de la loi est celle de sa promulgation, qui doit avoir lieu par décret dans les quinze jours qui suivent la transmission au gouvernement de la loi définitivement adoptée.

● la publication est destinée à porter la loi à la connaissance du public. Elle **se décomposera en** deux **temps**: l'insertion de la loi au **Journal officiel** de la République française et le respect d'un délai nécessaire à **la prise de connaissance** de la loi. C'est à partir de ce moment que «**nul n'est censé ignorer la loi**».

---

**Vocabulaire**

**bicaméral**  bicameral

**le député**  (here) n.t. (sometimes translated as: deputy *or* Member of the National Assembly)

**le sénateur**  senator

**pour se faire contrepoids**  to counterbalance each other

**siéger**  to sit

**au suffrage indirect**  by indirect suffrage

**le conseiller général**  departmental councillor

**le conseiller régional**  regional councillor

**irresponsable**  non-accountable

**encourir des poursuites judiciaires**  to be exposed to legal proceedings

**le crime**  serious crime

**le délit**  major offence

**poursuivre au pénal**  to prosecute

**le détournement de fonds**  embezzlement, misappropriation of funds

**une escroquerie**  fraud

**l'élaboration de la loi**  law-making

**le projet de loi**  government Bill

**la proposition de loi**  private members' Bill

**la lecture**  reading

**la navette**  n.t. (normal translation: shuttle)

**la promulgation**  promulgation (*publication that brings into force*)

**exécutoire**  enforceable

**se décomposer en**  to split into

**le temps**  (here) stage, phase

**le Journal officiel**  n.t. (sometimes translated as: Official Journal)

**la prise de connaissance**  awareness

**nul n'est censé ignorer la loi**  *ignorance of the law is no defence*

---

# Exercice 4

*Answer the following comprehension questions in French.*

**1**  Qu'est-ce qu'un parlement «bicaméral»?

**2**  Comment les membres du Sénat sont-ils élus?

**3**  Que comprenez-vous par: «les parlementaires sont irresponsables»?

**4**  Quelle est la différence entre un projet de loi et une proposition de loi?

**5**  Expliquez l'élaboration d'une loi.

# Points d'actualité

## Un député sur quatre est à la tête d'une région, d'un département ou d'une grande ville

Les «cumulards» sont menacés. Le Parti socialiste, puis la majorité sortante, avaient prévenu: à l'avenir, l'un comme l'autre entendaient réduire la possibilité de détenir de front plusieurs mandats ou fonctions politiques, dont celui de député. Plus question, pour la droite, de pouvoir être à la fois ministre et maire d'une grande ville, ou président d'un conseil général ou régional. Interdite, pour la gauche, la faculté d'être en même temps parlementaire et président d'un exécutif local (municipal, départemental ou régional) ou détenteur de deux de ces présidences d'exécutif.

En dépit des nombreuses réticences dans leurs rangs, les deux camps ont été amenés à reconnaître qu'une démocratie plus saine et un Parlement plus efficace passent par une nouvelle offensive contre la particularité française du cumul des mandats. En 1985, une première loi avait plafonné à deux le cumul de certains mandats électifs: ceux de député, sénateur, député européen, conseiller général, conseiller régional, conseiller de Paris, maire d'une commune de vingt mille habitants ou plus, et adjoint au maire d'une commune de cent mille habitants ou plus. D'ores et déjà, nombre de nouveaux élus, déjà titulaires de deux de ces mandats, devront en abandonner un.

Nouveau premier ministre, Lionel Jospin devrait, puisqu'il l'a annoncé, engager une nouvelle étape dans cette voie. D'autres «cumulards» auraient alors à choisir. Ils sont nombreux à pouvoir être directement concernés dans la nouvelle Assemblée nationale, quand bien même l'on ne s'en tient qu'aux maires de communes de vingt mille habitants et plus, aux présidents de conseils généraux et aux présidents de conseils régionaux, et cela même si un certain nombre des grands élus locaux ont été battus lors de ces législatives.

(Cécile Chambraud, *Le Monde*, 4 juin 1997)

## Dissertation

Analysez le caractère présidentialiste de la Constitution de la V$^e$ République en tenant compte des périodes de cohabitation.

## Further reading

Georges Burdeau, Francis Hamon and Michel Troper, *Droit Constitutionnel*, Paris: Librairie générale de droit et de jurisprudence.

Bernard Chantebout, *Droit Constitutionnel et Science Politique*, Paris: Armand Colin Editeur.

Pierre Pactet, *Institutions Politiques, Droit Constitutionnel*, Paris: Masson.

# Unit **3**

# LES SOURCES DU DROIT ECRIT

## **PART I** *La Constitution*

**Les normes juridiques** se rattachent les unes aux autres dans un ordre hiérarchique. Cet **ordonnancement juridique, primordial**, établit la conformité des **règles** inférieures aux règles supérieures.

Au sommet se trouve la Constitution. En 1958, la France vote une nouvelle constitution qui **régit** l'organisation de ses institutions. La Constitution de la Vᵉ République est composée du texte de 1958 et de trois autres éléments désignés sous l'expression «**bloc de constitutionnalité**»: **le préambule** de la Constitution de 1946, la Déclaration des droits de l'homme et du citoyen de 1789 et **les principes fondamentaux reconnus par les lois de la République**.

### Le préambule de la Constitution de 1946

Le Conseil constitutionnel, garant du respect de la Constitution, décide que le préambule de 1946, auquel le préambule de 1958 se réfère, fait partie de la Constitution de 1958.

Le préambule de 1958 déclare ainsi:

> «Le peuple français proclame solennellement son attachement aux Droits de l'homme et aux principes de **la souveraineté nationale** tels qu'ils ont été définis par le préambule de la Constitution de 1946.»

Le préambule de 1946 élargit les droits économiques et sociaux comme, par exemple, **le droit de faire grève**.

20

### La Déclaration des droits de l'homme et du citoyen 1789

Elle est également incorporée à la Constitution de 1958 qui s'y réfère dans son préambule. La Déclaration de 1789 reconnaît aux individus des droits et des libertés telle que la liberté d'expression.

### Les principes fondamentaux reconnus par les lois de la République

Dans sa décision du 16 juillet 1971, le Conseil constitutionnel reconnaît les principes qui font partie de la Constitution de 1958 puisque le préambule de 1946 les intègre. Bien que n'étant pas explicitement énoncés dans la Constitution de 1958, ces principes sont reconnus par le Conseil constitutionnel et ont **valeur constitutionnelle**. La liberté d'association est reconnue comme un des principes fondamentaux de la République.

---

**Vocabulaire**

**les normes juridiques** legal rules
**l'ordonnancement (m) juridique** legal hierarchy
**primordial** of paramount importance
**la règle** rule
**régir** to govern
**le bloc de constitutionnalité** *ensemble of constitutional rules*
**le préambule** Preamble

**les principes fondamentaux reconnus par les lois de la République** fundamental principles recognised by the laws of the Republic
**la souveraineté nationale** national sovereignty
**le droit de faire grève** right to strike
**la valeur constitutionnelle** constitutional status, constitutional value

---

## Exercice 1

*Tick the relevant box to say whether the following statements are true or false.*

| | Vrai | Faux |
|---|---|---|
| 1 Le préambule de 1946 ne fait pas partie de la Constitution. | | |
| 2 La liberté d'association est explicitement énoncée dans la Constitution de 1958. | | |
| 3 Le droit de grève se trouve dans le préambule de 1946. | | |
| 4 Les principes fondamentaux reconnus par les lois de la République sont un des éléments du bloc de constitutionnalité. | | |
| 5 C'est le Conseil d'Etat qui veille au respect de la Constitution. | | |

21

Ces lois sont votées par le Parlement. Elles précisent ou complètent la Constitution. Certains articles de la Constitution, comme l'article 63, mentionnent expressément les lois organiques.

Ainsi, aux termes de l'article 63:

«Une loi organique détermine les règles d'organisation et de fonctionnement du Conseil constitutionnel.»

Ces lois organiques forment une nouvelle catégorie de lois. Elles se situent entre les lois constitutionnelles et les lois ordinaires. Elles sont soumises à des conditions particulières d'adoption et de contrôle, de sorte qu'elles sont **d'office** soumises au Conseil constitutionnel alors que cette **saisine** n'est pas obligatoire pour les lois ordinaires. Selon l'article 46:

«Les lois auxquelles la Constitution confère le caractère de lois organiques sont votées et modifiées dans les conditions suivantes.

Le projet ou la proposition n'est soumis à la délibération et au vote de la première assemblée saisie qu'à l'expiration d'un délai de quinze jours après son dépôt.

La procédure de l'article 45 est applicable. Toutefois, faute d'accord entre les deux assemblées, le texte ne peut être adopté par l'Assemblée nationale en dernière lecture qu'à la majorité absolue de ses membres.

Les lois organiques relatives au Sénat doivent être votées dans les mêmes termes par les deux assemblées.

Les lois organiques ne peuvent être promulguées qu'après déclaration par le Conseil constitutionnel de leur conformité à la Constitution.»

---

**Vocabulaire**

| | |
|---|---|
| **la loi organique** n.t. | **la saisine (de)** submission of a case |
| **d'office** automatically | (to) |

---

# Exercice 2

*Fill in the gaps with the words provided below.*

## La hiérarchie des normes

### La Constitution

Au sommet de la hiérarchie des normes figure le _____. La Déclaration de _____ et le préambule de _____ font partie de ce bloc de constitutionnalité et tirent leur valeur constitutionnelle sous la _____ République de la référence qui en est faite dans la Constitution de _____. Les principes fondamentaux reconnus par les lois de la République ont _____.

Créé en 1958, le _____ contrôle la conformité des lois à la Constitution.

### Les lois organiques

Les lois organiques déterminent les règles d'organisation et de fonctionnement des _____. Alors que l'examen du texte par le Conseil constitutionnel n'est que _____ lorsqu'il s'agit d'une loi ordinaire, il est _____ pour les lois organiques qui ne peuvent être promulguées qu'après que le Conseil constitutionnel les ait déclarées _____ à la Constitution.

| Words to choose from: | | |
| --- | --- | --- |
| Conseil constitutionnel | 1789 | pouvoirs publics |
| obligatoire | V$^e$ | facultatif |
| bloc de constitutionnalité | 1946 | valeur constitutionnelle |
| 1958 | conformes | |

## PART III  *Les traités et le droit communautaire*

L'article 55 de la Constitution contient **les dispositions** relatives aux traités. Aux termes de l'article 55:

> «Les traités ou **accords** régulièrement **ratifiés** ou approuvés ont, **dès** leur publication, une autorité supérieure à celle des lois sous réserve, pour chaque accord ou traité, de son application par l'autre partie.»

Quant à l'effet des traités sur **le droit interne**, deux systèmes s'opposent en **droit international**: **le système moniste** et **le système dualiste**. Selon le système moniste, **le droit international** devient automatiquement partie du droit interne et jouit d'une autorité supérieure à celle des lois. Alors que selon le système dualiste, seule une loi ou un règlement rend un traité applicable dans le droit du pays.

La France a opté pour le système moniste alors que l'Angleterre a choisi le système dualiste. Aux termes de l'article 55, l'application d'un traité est **subordonnée** en France **à** trois conditions:

- une ratification ou une approbation régulière;
- la publication au **Journal officiel**;
- la réciprocité dans son exécution: l'application du traité est soumise à l'exécution par l'autre partie de ses obligations et de ses devoirs.

Le 15 janvier 1975, le Conseil constitutionnel décide qu'il n'**entre** pas **dans sa compétence de** veiller à la conformité des lois aux traités.

La Cour de cassation eut à se prononcer sur la supériorité du traité sur la loi. Dans l'**arrêt** Jacques Vabre du 24 mai 1975, elle retient la supériorité du traité (en l'espèce, le traité de Rome de 1957) sur la loi nationale, même postérieure (en l'espèce, des articles du **Code des douanes** de 1967). Le Conseil d'Etat s'aligne sur la décision de la Cour de cassation dans son arrêt Nicolo du 20 octobre 1989 (voir page 95).

En France, **les normes communautaires** sont considérées comme des règles de droit international. Elles sont alors soumises à l'article 55 de la Constitution et sont supérieures aux lois internes. **La Cour de Justice des Communautés Européennes** veille au respect de **la primauté** des normes communautaires.

---

**Vocabulaire**

| | |
|---|---|
| **le traité** treaty | **le Journal officiel** n.t. (sometimes translated as: Official Journal) |
| **le droit communautaire** community law | |
| **la disposition** provision | **entrer dans la compétence de** to fall within the remit of |
| **un accord** an agreement | |
| **ratifié** ratified | **un arrêt** judgment (of higher court) |
| **dès** upon, from the moment of | **le Code des douanes** Customs Code |
| **le droit interne** domestic law | **la norme communautaire** community law |
| **le droit international** international law | **la Cour de Justice des Communautés Européennes** European Court of Justice |
| **le système moniste** monist system | |
| **le système dualiste** dualist system | |
| **subordonné à** subject to | **la primauté** supremacy |

---

# Exercice 3

*Answer the following comprehension questions.*

1  Quelles sont les juridictions compétentes en matière de respect des normes communautaires?

2  La France a-t-elle opté pour le système moniste ou pour le système dualiste?

3  En France, quelles sont les trois conditions exigées dans l'application d'un traité?

4  En quoi l'arrêt Nicolo est-il important?

5  Citez l'article de la Constitution relatif aux traités.

## PART IV *La loi*

Les lois se divisent en **lois référendaires** et **lois parlementaires** (ou **ordinaires**).

### Les lois référendaires

Selon l'article 11 de la Constitution, le président de la République soumet à référendum des projets de loi concernant:

- l'organisation des **pouvoirs publics**;
- les réformes relatives à la politique économique ou sociale de la Nation et aux services publics qui y concourent;
- les réformes tendant à autoriser la ratification d'un traité qui, sans être contraire à la Constitution, aurait des incidences sur le fonctionnement des institutions.

Il appartient donc au peuple français de voter directement le projet de loi, sans passer par ses représentants à **l'Assemblée nationale**.

Le premier Président de la Vᵉ République, le général de Gaulle, a utilisé le référendum pour réviser le texte même de la Constitution et a institué l'élection du président de la République au suffrage universel direct le 28 octobre 1962. Il lui a été reproché de ne pas avoir suivi la procédure classique, à savoir l'utilisation de l'article 89 de la Constitution. Dans sa décision du 6 novembre 1962, le Conseil constitutionnel s'est déclaré incompétent pour contrôler la constitutionnalité d'une loi référendaire.

### Les lois parlementaires

Sous la IVᵉ République, le Parlement français jouit d'un pouvoir législatif illimité. Les dispositions de la Constitution de 1958 de la Vᵉ République vont limiter les matières qui sont du domaine de la loi (**le domaine législatif**, art. 34). Le Parlement **ne dispose** plus **que d'une compétence d'attribution**. Les autres matières **ont** désormais **un caractère réglementaire**, c'est-à-dire qu'elles émanent du **pouvoir exécutif** (**le domaine réglementaire**, art. 37). En France, les lois sont répertoriées. A chaque loi est attribué un numéro. Les deux premiers chiffres correspondent à l'année de promulgation de la loi, l'autre chiffre se rapporte à un propre mode de classification. Ce numéro est suivi de la date de sa promulgation et d'un titre qui rappelle brièvement son objet. Par exemple: Loi n° 90–1259 du 31 décembre 1990 portant réforme de certaines professions judiciaires et juridiques. Quelquefois, on utilise le nom du législateur. Les lois Pasqua, par exemple, sont relatives aux lois d'immigration introduites par Charles Pasqua, ancien ministre de l'Intérieur.

## Exercice 4

*Answer the following problem question.*

Le 3 février 1996, un décret du président de la République française publié au Journal officiel soumet à l'approbation du peuple français, sur proposition du Gouvernement, un projet de loi référendaire en vue d'instituer un vice-président de la République. Le jour de la consultation est fixé au 7 mars 1996.

Pensez-vous que le président de la République puisse soumettre à l'approbation du peuple français ce projet de loi référendaire?

# PART V *Les ordonnances et les règlements*

## Les ordonnances

Aux termes de l'article 38, le Gouvernement est autorisé par le Parlement à prendre des mesures dans les matières qui sont du domaine de la loi. Cette **loi d'habilitation** limite la durée et l'objet du pouvoir accordé au Gouvernement pour prendre des ordonnances. Celles-ci doivent avoir fait l'objet d'**un avis** du Conseil d'Etat et, selon l'article 13, avoir été **délibérées** en Conseil des ministres. Avant sa ratification par le Parlement, l'ordonnance a valeur de règlement; après sa ratification, elle prend valeur de loi.

## Les règlements

Le terme «règlement» est un terme générique. Il prend un nom différent **en fonction de** son auteur et de son mode d'élaboration:

- *le décret* est un règlement pris par le président de la République ou par le Premier ministre dans l'exercice normal de ses fonctions;
- *les décisions* du président de la République sont celles prises en vertu de l'article 16 lorsqu'il exerce ses pouvoirs exceptionnels;
- *les arrêtés* sont des actes pris par des autorités administratives: les ministres, les **préfets** et les **maires**.

Il est aussi d'usage de distinguer entre deux sortes de règlements: les **règlements d'application** et les **règlements autonomes**. Les règlements d'application sont les règlements de type classique. Ils sont destinés à assurer l'exécution d'une loi et entrent dans le domaine législatif. Le Premier ministre dispose de ce pouvoir en vertu de l'article 21.

La Constitution de 1958, dans son article 37, institue les règlements autonomes. Ils sont pris spontanément et à titre exclusif «dans les matières autres que celles du domaine de la loi». Le Gouvernement, sans conteste, **dispose d'une compétence normative de droit commun**.

La protection du domaine réglementaire contre les **empiètements du Parlement** est assuré par le Conseil constitutionnel (voir Unit 7, part II). A la différence des lois, les règlements peuvent faire l'objet d'un **recours pour excès de pouvoir (R.E.P.)**. C'est une procédure par laquelle tout citoyen peut saisir une juridiction de l'ordre administratif afin de demander l'annulation de l'acte. Tout comme le Conseil constitutionnel veille à la constitutionnalité des lois, le Conseil d'Etat contrôle la légalité des règlements.

---

**Vocabulaire**

**une ordonnance** n.t. (sometimes translated as: ordinance *or* statutory instrument)
**le règlement** regulation
**la loi d'habilitation** enabling Act of Parliament
**un avis** formal opinion
**délibérer** to debate
**en fonction de** according to
**le décret** decree
**la décision** presidential edict
**un arrêté** order, decision
**le préfet** Prefect, *chief administrative officer of a French "département"*

**le maire** mayor
**le règlement d'application** implementing regulation
**le règlement autonome** autonomous regulation
**disposer d'une compétence normative de droit commun** to have general powers to make regulations
**un empiètement du Parlement** parliamentary infringement
**le recours pour excès de pouvoir** application for judicial review

---

# Exercice 5

*Write in the space the noun that matches the verb.*

**1** disposer – _____

**2** légiférer – _____

**3** élaborer – _____

**4** ratifier – _____

**5** publier – _____

**6** saisir – _____

**7** réviser – _____

**8** dissoudre – _____

# Exercice 6

*Complete the crossword.*

## Horizontalement

**1** Approbation d'un traité par les organes compétents. (12 lettres)

**4** Le Parlement détient le pouvoir _____. (10 lettres)

**6** Il faut l' _____ du Conseil d'Etat pour prendre une ordonnance.
(4 lettres)

**7** C'est un contrôle juridictionnel de la légalité des règlements exercé par le
Conseil d'Etat. (3 lettres)

**8** Si le Conseil d'Etat décide qu'un règlement empiète sur le domaine législatif,
il est _____. (3 lettres)

**9** Partie préliminaire dans laquelle le législateur expose les motifs et l'objet
d'un texte de loi. (9 lettres)

**Verticalement**

1  C'est le terme générique donné aux actes de portée générale édictés par les représentants du pouvoir exécutif. (9 lettres)

2  L'article 55 en traite. (6 lettres)

3  Le gouvernement dispose d'une compétence _____ de droit commun. (9 lettres)

5  Le gouvernement est habilité à _____ le Conseil constitutionnel contre les empiètements du législateur. (6 lettres)

## Exercice 7

*Add the missing accents to the following words.*

1  la regle

2  le reglement

3  reglementaire

4  regler

5  reguliere

6  reglee

7  la reglementation

## Dissertation

Analysez les différentes sources du droit écrit en faisant référence aux relations entre la loi et le règlement.

## Further reading

Georges Burdeau, Francis Hamon and Michel Troper, *Droit Constitutionnel*, Paris: Librairie générale de droit et de jurisprudence.

Bernard Chantebout, *Droit Constitutionnel et Science Politique*, Paris: Armand Colin Editeur.

René Chapus, *Droit du Contentieux Administratif*, Paris: Montchrestien.

René David, *Le Droit Français. Tome 1: les données fondamentales du droit français*, Paris: Librairie générale de droit et de jurisprudence.

Jacques Ghestin and Gilles Goubeaux, *Traité de Droit Civil. Tome 1. Introduction Générale*, Paris: Librairie générale de droit et de jurisprudence.

Pierre Pactet, *Institutions politiques, droit constitutionnel*, Paris: Masson.

# Unit 4

# LES SOURCES DU DROIT NON ECRIT

## PART I *La jurisprudence*

La jurisprudence est l'ensemble des décisions de justice rendues par les tribunaux. Du fait, principalement, de l'utilisation de **la règle du précédent**, la jurisprudence est une importante source de droit en **pays de *common law***. En France, jusqu'à la Révolution de 1789, la jurisprudence était également très influente. Par crainte de voir les juges se dresser contre le nouvel ordre social, les révolutionnaires ont réduit les pouvoirs du juge à la simple application de la loi.

Les révolutionnaires voulaient voir respecter **le principe de la séparation des pouvoirs** formulé par Montesquieu (*Esprit des Lois*). Selon ce principe, il faut faire une distinction entre le pouvoir législatif, le pouvoir exécutif et **le pouvoir judiciaire**. De sorte à éviter tout abus de pouvoir, l'exercice de ces pouvoirs doit être confié à plusieurs organes, chargé chacun d'une fonction différente et donc indépendant les uns des autres. Les révolutionnaires ont alors réservé au juge le soin d'appliquer les lois énoncées dans les codes. Seul le pouvoir législatif pouvait édicter les règles générales visant l'ensemble de la Nation. Le nouveau rôle du juge est énoncé à l'article 5 du Code civil:

> «Il est défendu aux juges de prononcer par voie de disposition générale et réglementaire sur les causes qui leur sont soumises.»

De même, le juge n'est pas soumis à la règle du précédent. Conformément à l'article 1351 du Code civil:

> «L'autorité de la chose jugée n'a lieu qu'à l'égard de ce qui a fait l'objet du jugement. Il faut que la chose demandée soit la même; que la demande soit fondée sur la même cause; que la demande soit entre les mêmes parties, et formée par elles et contre elles en la même qualité.»

De nos jours, la jurisprudence joue un rôle croissant. Les codes n'étant pas suffisamment détaillés, il est nécessaire de préciser et d'interpréter les règles qu'ils énoncent. La doctrine cite rarement un arrêt précis comme faisant autorité, exception faite des **arrêts de principe**. Elle se réfère préférablement à **la jurisprudence** dite **constante** (énoncé de la même solution dans différentes décisions de justice antérieures). On oppose la jurisprudence constante à **la jurisprudence controversée**, là où il y a conflit de décisions. Alors que la jurisprudence serait constante, un **revirement** de jurisprudence est toujours possible puisque les juges ne sont pas tenus par le principe du précédent.

Enfin, aux termes de l'article 4 du Code civil, «le juge qui refusera de juger, sous prétexte du silence, de l'obscurité ou de l'insuffisance de la loi, pourra **être poursuivi** comme **coupable** de **déni de justice**.»

---

**Vocabulaire**

| | |
|---|---|
| **la jurisprudence**  case law | **la jurisprudence constante**  settled case law |
| **la règle du précédent**  rule of precedent | |
| **le pays de** *common law*  common law country | **la jurisprudence controversée**  conflicting case law |
| **le principe de la séparation des pouvoirs**  principle of the separation of powers | **le revirement**  overturning, reversal, overruling |
| **le pouvoir judiciaire**  judicial power | **être poursuivi**  to be prosecuted |
| **un arrêt de principe**  *case stating a legal principle* | **coupable**  guilty |
| | **un déni de justice**  miscarriage of justice |

---

## Exercice 1

*Fill in the gaps in the following passage with the words provided below.*

La jurisprudence est devenue une _____ de droit d'une importance considérable, bien que les _____ des juges n'aient autorité que dans les _____ qu'ils tranchent.

L'article 5 du Code civil _____ :

«Il est défendu aux _____ de prononcer par voie de disposition générale et réglementaire sur les causes qui leur sont soumises.»

Le principe est rappelé à l'article 1351 du _____ qui limite l'autorité des jugements. Les juges doivent _____ les textes. La doctrine se réfère préférablement à la jurisprudence dite _____ qui peut elle-même faire l'objet d'un _____. Les juges ne sont pas tenus de suivre un _____ et ne peuvent refuser de juger sous peine de commettre un _____.

## PART II *Les autres sources du droit non écrit*

Il s'agit de la coutume, de **la doctrine** et des **principes généraux du droit**.

### La coutume

La coutume, d'origine populaire et non pas **étatique**, à laquelle les sujets de droit doivent se conformer, s'est formée spontanément, lentement, par une pratique répétée et durable qui peu à peu **s'implante** et s'impose à tous. Sous l'ancien droit, on appliquait essentiellement la coutume dans le nord de la France. La codification napoléonienne n'a laissé que peu de place à cette source secondaire du droit.

### La doctrine

Elle est constituée par l'ensemble des opinions que les juristes (professeurs, magistrats) formulent dans leurs ouvrages. Elle forme par extension la pensée de l'ensemble des auteurs. Leurs commentaires, leurs suggestions, leurs critiques jouent un rôle dans la création du droit.

### Les principes généraux du droit

Les principes généraux du droit sont issus de la loi et de la coutume avec l'aide de la doctrine. C'est la principale source non écrite du droit administratif. Il ne faut pas confondre les principes généraux du droit avec les principes fondamentaux reconnus par les lois de la République, étant donné que les principes généraux du droit n'appartiennent pas à la Constitution.

---

**Vocabulaire**

**la doctrine** legal writing, *the body of opinion on legal matters expressed in books and articles*

**le principe général du droit** general principle of law
**étatique** derived from the state
**s'implanter** to become established

---

**La hiérarchie des sources de droit**

| | |
|---|---|
| le bloc de constitutionnalité | la Constitution de 1958<br>la Déclaration des droits de l'homme et du citoyen de 1789<br>le préambule de la Constitution de 1946<br>les principes fondamentaux reconnus par les lois de la République |
| le traité | les traités et le droit communautaire (art. 55) |
| la loi | les lois organiques (art. 46)<br>les lois référendaires (art. 11)<br>les lois parlementaires (art. 34)<br>les ordonnances (art. 38) |
| le réglement | les ordonnances (art. 38)<br>les décisions du président de la République (art. 16)<br>les décrets du président de la République et du Premier ministre (art. 13, 21 et 37)<br>les arrêtés des ministres, du préfet et des maires (art. 37) |
| les sources du droit non écrit | la jurisprudence<br>la coutume<br>la doctrine<br>les principes généraux du droit |

# Exercice 2

*Fill in the gaps in the following passage using the words provided.*

La coutume est à l'heure actuelle une autre source secondaire du _____. Elle complète alors la loi et peut aussi _____ les lacunes de la loi.

La jurisprudence est constituée par l'ensemble des _____ concordantes rendues par les juridictions. Le système français ne connaît pas en principe l'autorité du _____ comme dans le système de *common law*, en ce sens qu'il n'est pas tenu de _____ à ses décisions antérieures.

La doctrine n'est certainement pas une _____ de droit écrit puisque l'opinion doctrinale ne s'impose pas au juge. Mais la _____ est une autorité en droit puisque le juge peut s'en inspirer pour résoudre une question de droit difficile. La doctrine peut également suggérer au _____ les réformes qui sont nécessaires.

Les _____ du droit constituent la principale source non écrite du droit administratif. Leur respect s'impose à toutes les _____ administratives.

## Dissertation

L'article 5 du Code civil dispose:

> «Il est défendu aux juges de prononcer par voie de disposition générale et réglementaire sur les causes qui leur sont soumises.»

Mais selon l'article 4 du même code:

> «Le juge qui refusera de juger, sous prétexte du silence, de l'obscurité ou de l'insuffisance de la loi, pourra être poursuivi comme coupable de déni de justice.»

A la lumière de ces articles, analysez le rôle de la jurisprudence comme source de droit.

## Further reading

René David, *Le droit français. Tome 1: les données fondamentales du droit français*, Paris: Librairie générale de droit et de jurisprudence.

Jacques Ghestin and Gilles Goubeaux, *Traité de Droit Civil. Tome 1. Introduction Générale*, Paris: Librairie générale de droit et de jurisprudence.

# Unit **5**

# L'ORGANISATION DE L'ORDRE JUDICIAIRE

## **PART I** *Les principes généraux du système judiciaire*

En France, il existe deux ordres de juridiction: **l'ordre judiciaire** et **l'ordre administratif**. Cette distinction découle du principe de la séparation des pouvoirs adopté sous la Révolution. Une loi révolutionnaire interdit aux juges de **s'immiscer dans** les fonctions administratives **sous peine de forfaiture**. Au lendemain de la Révolution, il n'existe qu'un ordre judiciaire. Aucune juridiction n'est compétente pour juger des **affaires** administratives étant donné que le Conseil d'Etat n'a encore qu'un rôle consultatif. Progressivement, le Conseil devient **organe juridictionnel** et de là naît l'ordre administratif. Désormais, les affaires impliquant l'administration relèvent de l'ordre administratif. Les affaires civiles et **pénales** relèvent de l'ordre judiciaire.

La différence entre **les juridictions de droit commun** et **les juridictions d'exception** ou encore **juridictions spécialisées** est une distinction primordiale qui s'applique à la fois à l'ordre judiciaire et à l'ordre administratif. Les juridictions de droit commun ont une compétence générale pour trancher tous les **litiges** sauf ceux que la loi exclut. En revanche, les juridictions d'exception ne connaissent que des seuls litiges que la loi leur attribue.

Par ailleurs, on distingue les **juges du fond** des **juges du droit**. Les juges du fond sont les juridictions de première instance et d'appel. La Cour de cassation est le juge du droit de l'ordre judiciaire.

### Point de terminologie

**Le jugement** est le nom donné aux décisions des tribunaux de première instance. Le terme **arrêt** désigne les décisions de la Cour d'appel, de la Cour de cassation, et de la Cour administrative d'appel. **Décision** est le terme générique englobant à la fois le jugement et l'arrêt. C'est également le terme utilisé pour désigner la solution du Conseil constitutionnel et du Conseil d'Etat.

---

**Vocabulaire**

**l'ordre (m) judiciaire**  *civil and criminal system*
**l'ordre (m) administratif**  *administrative system*
**s'immiscer dans**  *to interfere with*
**sous peine de forfaiture**  *with the sanction of criminal liability*
**une affaire**  *case*
**l'organe (m) juridictionnel**  *judicial body*
**pénal**  *criminal*
**la juridiction de droit commun**  *court of general jurisdiction*

**la juridiction d'exception/spécialisée**  *specialised court*
**le litige**  *legal dispute, litigation*
**le juge du fond**  (here) *court which considers both the facts and the law*
**le juge du droit**  (here) *court which considers only points of law*
**le jugement**  *judgment (generally in lower courts)*
**un arrêt**  *judgment (of higher court)*
**la décision**  *judgment, decision*

---

## Exercice 1

*Underline the odd one out.*

| | | | |
|---|---|---|---|
| **1** | juridiction | décision | tribunal |
| **2** | affaire | litige | cour |
| **3** | juridiction d'exception | juridiction spécialisée | juridiction de droit commun |
| **4** | conseil | arrêt | jugement |
| **5** | pouvoir exécutif | pouvoir administratif | pouvoir exceptionnel |
| **6** | affaire administrative | affaire pénale | affaire civile |

# PART II *Les juridictions civiles*

## Les juridictions du premier degré ou de première instance

Les juridictions de première instance les plus importantes sont:

### Les tribunaux d'instance (T.I.)

Créées par un décret du 22 décembre 1958, ces juridictions d'exception sont compétentes pour juger la plupart des affaires civiles, inférieures à 30 000F. **Juridictions à juge unique**, elles **rendent des décisions en premier et dernier ressort** jusqu'à 13 000F et **à charge d'appel** au-delà. Il existe un tribunal d'instance par arrondissement.

### Les tribunaux de grande instance (T.G.I.)

C'est la seule juridiction civile de droit commun du premier degré. Ce tribunal est normalement compétent pour juger des affaires civiles, supérieures à 30 000F, mais en matière immobilière le T.G.I. a une compétence exclusive. C'est **une juridiction collégiale**: l'affaire est portée devant au moins trois juges (sauf exception). Les plus importants T.G.I. sont divisés en chambres specialisées: il y a une chambre civile, une chambre commerciale et une **chambre correctionnelle**. Il existe au moins un tribunal de grande instance par département.

### Les tribunaux de commerce

C'est une juridiction spécialisée. Elle juge des affaires de nature commerciale, telle que la contestation sur le prix d'une marchandise entre commerçants. Les jugements sont rendus par une formation collégiale. Ces tribunaux se composent de magistrats non-professionnels, dits **juges consulaires**, commerçants **élus par leurs pairs**.

### Le Conseil de prud'hommes

C'est une juridiction également spécialisée. Elle juge des litiges individuels en **droit du travail**, tel que **le licenciement abusif**. Ce tribunal est composé en nombre égal de représentants des employeurs et des salariés élus par leurs pairs.

## La Cour d'appel

C'est une juridiction de droit commun du second degré. Elle est compétente pour toutes les affaires civiles et pénales. L'**appel** est **la voie de recours ordinaire** contre une décision des juridictions de première instance. La voie d'appel n'est pas **recevable** lorsqu'une décision est rendue en premier et dernier ressort: la décision d'un tribunal d'instance portant sur une affaire dont le montant est inférieur à 13 000F n'est pas **susceptible d'appel**. Lorsque l'on **interjette appel** l'affaire est jugée une seconde fois, les **juges du fond réexaminent** l'affaire **en fait et en droit**. La Cour d'appel comprend plusieurs chambres:

- la chambre civile
- **la chambre sociale** (statuant sur les appels des juridictions spécialisées)
- la chambre correctionnelle
- **la chambre d'accusation**.

C'est une juridiction collégiale. Il existe au moins une Cour d'appel par région, soit une trentaine en métropole.

## La Cour de cassation

Elle est au sommet de l'ordre judiciaire et siège au Palais de Justice à Paris. Il y a six chambres:

- cinq chambres civiles, dont deux chambres spécialisées en matière commerciale et sociale
- une chambre criminelle.

En général, la Cour de cassation comprend cinq juges, excepté lorsqu'elle siège en **chambre mixte** et en **assemblée plénière**. En chambre mixte, elle réunit au minimum treize magistrats appartenant au moins à trois chambres de la Cour. La chambre mixte est compétente lorsqu'une affaire pose une question relevant des attributions de plusieurs chambres. L'assemblée plénière comprend, sous la présidence du premier président, des représentants des cinq chambres civiles et de la chambre criminelle (vingt-cinq magistrats).

**Le pourvoi en cassation** est une voie de recours extraordinaire. Le rôle de la Cour de cassation n'est pas de rejuger l'ensemble du procès mais seulement les questions de droit. Elle n'est pas un troisième degré de juridiction.

La Cour de cassation **saisie d'un pourvoi** a deux options. Lorsqu'elle rejette les prétentions du demandeur, elle **rend un arrêt de rejet**. Si la Haute juridiction approuve l'arrêt d'une Cour d'appel mais souhaite rejeter **la motivation**, elle peut, sans casser l'arrêt, substituer ses propres **motifs**.

Lorsqu'elle **reconnaît le bien fondé de la demande** elle rend **un arrêt de cassation** et renvoie l'affaire devant une Cour d'appel pour que les juges du fond la réexaminent. Les juges n'étant pas soumis au principe du précédent, les juges du fond ne sont pas liés par la décision de la Cour de cassation. Il existe une exception à ce principe lorsque l'assemblée plénière est saisie. Cette dernière se réunit lorsque les juges du fond de la première **juridiction de renvoi** ne se sont pas inclinés devant la décision de la Cour de cassation et qu'un second pourvoi en cassation est formé (voir figure, page 40).

Une loi du 15 mai 1991 permet à une juridiction de **saisir** la Cour de cassation pour connaître son **avis**, en matière civile, sur une question de droit nouvelle présentant une difficulté sérieuse d'interprétation et se posant dans un grand nombre de litiges. Cet avis ne s'impose pas aux juges du fond.

---

**Vocabulaire**

**les juridictions du premier degré/de première instance** court of first instance

**le tribunal d'instance** n.t.

**la juridiction à juge unique** *court presided over by a single judge*

**rendre une décision** to hand down a decision, to give a judgment

**en premier et dernier ressort** not open to appeal

**à charge d'appel** open to appeal

**le tribunal de grande instance** n.t.

**la juridiction collégiale** *court presided over by a minimum of three judges who deliver a single judgment*

| | |
|---|---|
| **la chambre correctionnelle** Criminal Division (of the T.G.I. or Cour d'assises) | **la chambre d'accusation** n.t. (voir Unit 5, Part III) |
| **le tribunal de commerce** commercial court, commercial tribunal | **la Cour de cassation** n.t. |
| **le juge consulaire** *lay judge in the commercial court* | **la chambre mixte** joint bench |
| **élus par leurs pairs** elected by their peers | **l'assemblée (f) plénière** full sitting of the Cour de cassation |
| **le Conseil de prud'hommes** *industrial conciliation tribunal* | **le pourvoi en cassation** *appeal on point of law only* |
| **le droit du travail** employment law | **être saisi d'un pourvoi (en cassation)** *to have an appeal referred on points of law only* |
| **le licenciement abusif** unfair dismissal | **rendre un arrêt** to give a decision |
| **la Cour d'appel** court of appeal | **un arrêt de rejet** *final decision rejecting an appeal on points of law* |
| **un appel (m)** appeal (on facts and/or law) | **la motivation** legal reasoning |
| **la voie de recours ordinaire** *ordinary means of appeal* | **le motif** reason (for court's decision) |
| **recevable** admissible | **reconnaître le bien fondé de la demande** to accept the grounds of the application |
| **susceptible d'appel** open to appeal | **un arrêt de cassation** n.t. (*decision to quash a judgment of the lower courts*) |
| **interjeter appel** to lodge an appeal | **la juridiction de renvoi** *court to which a case is referred after a successful appeal on the law* |
| **le juge du fond** *judge who considers both the facts and the law* | **saisir** to refer, submit a case to |
| **réexaminer en fait et en droit** *to rehear the case on its facts and points of law* | **un avis** opinion |
| **la chambre sociale** Social Division | |

# Exercice 2

*Answer the following comprehension questions.*

1 A quel ordre appartient le tribunal de grande instance?

2 Le tribunal de grande instance est-il une juridiction de droit commun?

3 Quand le tribunal de grande instance statue-t-il en premier et dernier ressort?

4 Le tribunal d'instance est-il une juridiction à juge unique ou une juridiction collégiale?

5 Quelle est la particularité de la Cour de cassation?

6 Définir le terme «juridiction d'exception».

7 Décrire la composition du tribunal de commerce.

**Le pourvoi en cassation**

```
                    ┌─────────────────────┐
                    │ Tribunal de Grande  │
                    │ Instance de Paris   │
                    └─────────────────────┘
                      ↙               ↘
┌──────────────────────────┐   ┌──────────────────────────┐
│ Les plaideurs acceptent  │   │ Un plaideur conteste le  │
│ le jugement              │   │ jugement                 │
└──────────────────────────┘   └──────────────────────────┘
           ↓                               ↓
┌──────────────────────────┐   ┌──────────────────────────┐
│ L'affaire est close      │   │ Il interjette appel      │
│                          │   │ devant la Cour d'appel   │
│                          │   │ de Paris                 │
└──────────────────────────┘   └──────────────────────────┘
                                           ↓
┌──────────────────────────┐   ┌──────────────────────────┐
│ Les plaideurs acceptent  │ ← │ Un plaideur conteste     │
│ l'arrêt                  │   │ l'arrêt                  │
└──────────────────────────┘   └──────────────────────────┘
           ↓                               ↓
┌──────────────────────────┐   ┌──────────────────────────┐
│ L'affaire est close      │   │ Il se pourvoit en        │
│                          │   │ cassation devant la      │
│                          │   │ Cour de cassation        │
└──────────────────────────┘   └──────────────────────────┘
                                           ↓
┌──────────────────────────┐   ┌──────────────────────────┐
│ La Cour de cassation     │ ← │ La Cour de cassation     │
│ rend un arrêt de rejet   │   │ rend un arrêt de         │
│                          │   │ cassation                │
└──────────────────────────┘   └──────────────────────────┘
           ↓                               ↓
┌──────────────────────────┐   ┌──────────────────────────┐
│ L'affaire est close      │   │ L'affaire est renvoyée   │
│                          │   │ devant une seconde       │
│                          │   │ Cour d'appel             │
└──────────────────────────┘   └──────────────────────────┘
                                           ↓
┌──────────────────────────┐   ┌──────────────────────────┐
│ Les plaideurs acceptent  │ ← │ Un plaideur conteste     │
│ l'arrêt de la Cour       │   │ l'arrêt                  │
│ d'appel                  │   │                          │
└──────────────────────────┘   └──────────────────────────┘
           ↓                               ↓
┌──────────────────────────┐   ┌──────────────────────────┐
│ L'affaire est close      │   │ Le plaideur forme un     │
│                          │   │ second pourvoi devant    │
│                          │   │ l'assemblée plénière de  │
│                          │   │ la Cour de cassation     │
└──────────────────────────┘   └──────────────────────────┘
                                           ↓
┌──────────────────────────┐   ┌──────────────────────────┐
│ La Cour de cassation     │ ← │ La Cour de cassation     │
│ rend un arrêt de rejet   │   │ rend un arrêt de         │
│                          │   │ cassation                │
└──────────────────────────┘   └──────────────────────────┘
           ↓                               ↓
┌──────────────────────────┐   ┌──────────────────────────┐
│ L'affaire est close      │   │ L'affaire revient devant │
│                          │   │ une troisième Cour       │
│                          │   │ d'appel. L'interprétation│
│                          │   │ de l'assemblée plénière  │
│                          │   │ s'impose aux juges du    │
│                          │   │ fond.                    │
└──────────────────────────┘   └──────────────────────────┘
```

# PART III *Les juridictions pénales*

Pour mieux comprendre l'organisation de ces juridictions, également appelées les **juridictions répressives,** il faut savoir que **la procédure pénale** peut se dérouler selon trois étapes: **la poursuite, l'instruction** et **le jugement.** Les deux derniers ont leur propre juridiction.

## Les juridictions répressives du premier degré

### Les juridictions d'instruction

Le cas échéant, **le juge d'instruction** est la juridiction d'instruction du premier degré. Son rôle est de rechercher la vérité. Il doit rassembler **les preuves** et examiner **les charges** portées contre **la personne mise en examen** avant de décider de la déférer devant une juridiction de jugement. Il ne lui appartient pas de se prononcer sur **la culpabilité** de la personne poursuivie, **la juridiction de jugement** remplit cette fonction. Le juge d'instruction sera étudié à la page 85.

### Les juridictions de jugement

Les juridictions de jugement sont appelées à se prononcer sur la culpabilité ou l'innocence de la personne poursuivie. A chaque type d'infraction pénale correspond une juridiction de jugement différente. Il existe trois classes d'**infractions pénales** dans un ordre croissant de gravité: les **contraventions,** les **délits** et les **crimes.**

- La contravention est l'infraction qui punit d'**une amende** ou de la confiscation des objets saisis. **Le tribunal de police** est la formation du tribunal d'instance compétente **en matière contraventionnelle.**
- Le délit est l'infraction qui punit d'une peine d'emprisonnement ou d'une peine d'amende supérieure ou égale à 25 000F. **Le tribunal correctionnel** est la formation du tribunal de grande instance compétente en matière de délit pénal.
- Le crime est l'infraction pour laquelle son auteur peut encourir soit **la détention** soit **la réclusion à temps** ou **à perpétuité. La Cour d'assises** est la juridiction compétente pour les crimes. Il en existe une par département. Sa composition originale la distingue de toutes les juridictions de France. Elle réunit trois magistrats de carrière et neuf **jurés** populaires, l'ensemble formant **le jury.** La Cour d'assises est une juridiction de premier et dernier ressort, de sorte que ses décisions ne sont pas susceptibles d'appel (cf. *Le Monde*, p. 44) mais uniquement d'un recours en cassation devant **la chambre criminelle** de la Cour de cassation.

Il y a plusieurs juridictions d'exception: les juridictions des **mineurs** tels que **le tribunal pour enfants** et **la Cour d'assises des mineurs.**

## Les juridictions répressives du second degré

### La chambre d'accusation

La chambre d'accusation est une chambre spécialisée de la Cour d'appel. Elle représente le second degré des juridictions d'instruction et elle exerce un **contrôle juridictionnel** sur les actions du juge d'instruction. Par exemple, la personne mise en examen peut interjeter appel contre la décision du juge d'instruction **statuant sur** sa **détention provisoire**.

### Les Cours d'appel

En matière pénale, les Cours d'appel sont également des juridictions de jugement du second degré. C'est **la chambre correctionnelle** de la Cour d'appel qui est compétente pour juger.

### La Cour de cassation

La chambre criminelle de la Cour de cassation est compétente pour juger en droit les affaires portées devant elle.

---

**Vocabulaire**

**la juridiction pénale/répressive** criminal court

**la procédure pénale** criminal procedure

**la poursuite** prosecution

**l'instruction** *judicial investigation*

**le jugement** judgment, decision

**les juridictions d'instruction** *courts overseeing the investigation*

**le juge d'instruction** n.t. (sometimes translated as: examining magistrate or investigating judge)

**les preuves (f)** evidence

**les charges (f)** proof

**la personne mise en examen** accused

**la culpabilité** guilt

**la juridiction de jugement** trial court

**une infraction pénale** criminal offence

**la contravention** *minor offence*

**le délit** *major offence*

**le crime** *serious crime*

**une amende** fine

**le tribunal de police** n.t.

**en matière contraventionnelle** for minor offences, *in cases involving minor offences*

**le tribunal correctionnel** n.t.

**la détention** detention, custody

**la réclusion** imprisonment

**à temps** fixed term

**à perpétuité** (here) life, for life

**la Cour d'assises** n.t.

**le juré** juror

**le jury** jury

**la chambre criminelle** Criminal Division (of the *Cour de cassation*)

**un mineur** minor

**le tribunal pour enfants** juvenile court, youth court

**la Cour d'assises des mineurs** n.t.

**la chambre d'accusation** n.t.

**le contrôle juridictionnel** judicial control

**statuer sur** to rule on

**la détention provisoire** remand in custody

**la chambre correctionnelle** Criminal Division (of the *tribunal correctionnel*)

---

## LES DIVISIONS ADMINISTRATIVES FRANÇAISES

| | | |
|---|---|---|
| ■ Le territoire national<br>La France<br>métropolitaine | | Le territoire national comprend la France métropolitaine (continentale et Corse), 4 départements d'outre-mer et 4 territoires d'outre-mer. |
| ■ La région<br>La région<br>Alsace | | Collectivité locale qui regroupe plusieurs départements. La France compte 26 régions, dont 4 en outre-mer. (Statut particulier pour la région Corse) |
| ■ Le département<br>2 départements<br>en Alsace:<br>le Haut-Rhin<br>le Bas-Rhin | | Division administrative du territoire français. La France compte 100 départements dont 4 en outre-mer. |
| ■ L'arrondissement<br>Le département<br>du Bas-Rhin<br>se compose de<br>7 arrondissements. | | Division territoriale qui regroupe plusieurs cantons.<br>La France compte 339 arrondissements dont 12 en outre-mer. |
| ■ Le canton<br>L'arrondissement<br>de Haguenau,<br>du département<br>se divise en<br>3 cantons. | | Division territoriale de l'arrondissement. On trouve en général au chef-lieu de canton une gendarmerie et une perception. La France compte 3 839 cantons dont 124 en outre-mer.<br>(Le canton correspond parfois à une seule commune.) |
| ■ Le commune<br>Le canton Bischwiller.<br>situé dans<br>l'arrondissement de<br>Haguenau, rassemble<br>21 communes. | | Unité de base de la division du territoire.<br>La France compte 36 547 communes dont 114 en outre-mer. |

Diagram from *Les institutions de la France*, B. de Gunther, A. Martin and M. Niogret (1994) p. 69, Nathan, Paris.

# Exercice 3

*Fill in the gaps in the following passage with the words below.*

## La Cour d'assises

Le crime, l'_____ la plus grave (comme le meurtre, le vol à main armée), est porté devant la Cour d'assises. La cour est composée de trois _____ de carrière et, en outre, de neuf _____ populaires tirés au sort: le «jury». Les jugements de la Cour d'assises sont sans _____. On admet, en revanche, le _____ qui vise non pas la réformation au fond, mais l'annulation pour _____. Ainsi, un _____ d'acquittement ne peut être cassé que dans l'intérêt de la loi.

> *Words to choose from:*
>
> | | | |
> |---|---|---|
> | magistrats | jugement | erreur de droit |
> | jurés | infraction | appel |
> | recours en cassation | | |

# Points d'actualité

## Une procédure d'appel

Les Français ont mis plus de deux siècles pour s'apercevoir que l'intime conviction des jurés populaires n'est pas un principe indiscutable. En 1995, Jacques Toubon, ministre de la justice, annonce un projet de réforme instituant une juridiction d'appel pour les décisions criminelles qui a été voté, en janvier, par l'Assemblée nationale. Il prévoit l'instauration d'un tribunal criminel départemental, composé de trois magistrats professionnels et de cinq jurés dont les jugements pourront être remis en cause par une cour d'assises composée, comme aujourd'hui, de trois magistrats et de neuf jurés. Les décisions devront être motivées selon des formes qui ont été remaniées par le Sénat.

L'Assemblée a cependant été dissoute avant de pouvoir examiner, en deuxième lecture, un projet dont la mise en vigueur a été reportée à 1999 pour des raisons budgétaires. L'émotion soulevée par plusieurs décisions récentes de cour d'assises semble pourtant souligner l'urgence de la mise en place d'une procédure d'appel. Malgré la constatation, dans une foule de colloques, de l'incontestable influence des magistrats sur les jurés, rien n'a en outre été fait pour tenter de rétablir un équilibre au sein de la cour.

Pour de nombreux juristes, le mal doit également être traité en amont. Comme dans l'Ancien Régime, l'instruction tisse en effet la trame d'un procès bien avant que l'audience s'ouvre: souvent, les débats sont le miroir d'une enquête réalisée par le juge d'instruction dans des conditions qui méritent une réforme.

Face à un dossier insuffisant, faut-il se contenter de dire qu'il s'agit d'une «affaire d'intime conviction» en se déchargeant sur les jurés dans un procès où la longueur des débats compense les lacunes de l'enquête?...

(Maurice Peyrot, *Le Monde*, 27 mai 1997)

## Further reading

Roger Perrot, *Institutions judiciaires*, Paris: Montchrestien.
Jean Vincent, *La Justice et ses institutions*, Paris: Dalloz.

*Unit 5 L'organisation de l'ordre judiciaire*

# Unit **6**

# L'ORGANISATION DE L'ORDRE ADMINISTRATIF

## **PART 1** *Le Conseil d'Etat*

Le Conseil d'Etat est créé par Napoléon en 1799. Avant la loi du 24 mai 1872, le Conseil d'Etat n'a qu'un rôle purement administratif. C'est de cette loi qu'il reçoit le pouvoir de juger directement «au nom du peuple français». Le Conseil est en principe présidé par le Premier ministre; en réalité c'est le vice-président qui assure effectivement cette fonction.

## Ses attributions

A côté de ses **attributions administratives**, le Conseil d'Etat a une **compétence juridictionnelle**.

### La fonction administrative du Conseil d'Etat

Les **sections administratives** du Conseil d'Etat sont au nombre de cinq: la section des finances, la section des travaux publics, la section de l'intérieur, la section sociale et **la section du rapport et des études**. Les sections sont chargées d'effectuer des études et de **donner des avis consultatifs** sur des questions administratives à la demande du gouvernement ou de sa propre initiative.

### La fonction juridictionnelle du Conseil d'Etat

**La section du contentieux**, divisée en dix **sous-sections**, assure la fonction juridictionnelle. La compétence contentieuse du Conseil d'Etat est triple: il juge en premier et dernier ressort, en appel et en cassation. Le Conseil peut donc intervenir à tous les degrés de la hiérarchie juridictionnelle.

En tant que **juge de première instance**, il détient une **compétence d'attribution** (telle qu'expressément conférée par un texte). Il juge les **recours pour excès de pouvoir** contre les décrets, les ordonnances et les décisions du président de la République. Il exerce sa fonction de juge d'appel contre les décisions rendues par les juridictions administratives de première instance, bien qu'une partie de cette compétence ait été transférée aux **Cours administratives d'appel** en 1989. Enfin, en tant que juge de cassation il statue sur les recours formés à l'encontre des décisions rendues en dernier ressort par les juridictions administratives spécialisées et par les Cours administratives d'appel.

Avant la réforme de 1987, la fonction de juge de cassation ne comprend qu'à peine 5% de l'activité juridictionnelle du Conseil d'Etat. Le Conseil d'Etat est depuis, à titre principal, une juridiction de cassation.

L'article 12 de la loi du 31 décembre 1987 **octroie** au Conseil d'Etat une compétence nouvelle puisque ce dernier peut désormais être saisi par les juridictions administratives de droit commun pour avis sur toute question de droit nouvelle présentant une difficulté sérieuse avant de se prononcer sur le litige. Cette compétence nouvelle vise à prévenir les recours en appel et en cassation.

---

**Vocabulaire**

**le Conseil d'Etat**  n.t.
**une attribution administrative**  administrative power, competence
**la compétence juridictionnelle**  judicial powers
**la section administrative**  administrative division
**la section du rapport et des études**  Report and Research Division
**donner un avis consultatif**  to give an advisory opinion
**la section du contentieux**  Litigation Division

**la sous-section**  (here) section
**le juge de première instance**  (here) court of first instance
**la compétence d'attribution**  prescribed powers, designated jurisdiction, designated competence
**le recours pour excès de pouvoir**  application for judicial review
**la Cour administrative d'appel**  Administrative Court of Appeal
**octroyer**  to grant

---

# Exercice 1

*Fill in the gaps in the following passage using the words provided.*

Le Conseil d'Etat est la juridiction _____ de l'ordre administratif. Par la place qu'il occupe dans la hiérarchie judiciaire, il est quelque peu comparable à ce qu'est la _____ pour les juridictions de l'ordre _____. Pourtant le Conseil d'Etat n'est pas seulement doté d'attributions exclusivement _____, il est également investi d'une compétence _____. Ainsi les projets de lois, les ordonnances et les _____ sont soumis «pour avis» au Conseil d'Etat. Le gouvernement n'est pas obligé de suivre l'_____ du Conseil.

## **PART II** *Les juridictions de droit commun et les juridictions spécialisées*

### Les juridictions de droit commun

#### Les tribunaux administratifs

Créés par un décret de 1953, ce sont des juridictions de première instance de droit commun. Les tribunaux administratifs, comme toutes les juridictions administratives, jugent en formation collégiale.

#### Les Cours administratives d'appel

La création de cinq Cours administratives d'appel, en 1989, remédie à l'encombrement du Conseil d'Etat. Désormais, les Cours administratives d'appel sont compétentes pour statuer sur les décisions des tribunaux administratifs rendues en première instance. Elles ne jouissent pas d'une compétence d'appel générale; une partie seulement de la compétence d'appel du Conseil leur est transférée.

### Les juridictions spécialisées

Traditionnellement, on retient principalement **la Cour des comptes**. Cette juridiction administrative spécialisée est chargée d'exercer un contrôle des comptes annuels effectués par les **comptables publics**. Les **arrêts définitifs** de la Cour des comptes sont susceptibles d'un recours en cassation devant le Conseil d'Etat.

---

**Vocabulaire**

**le tribunal administratif** administrative court

**la Cour des comptes** Audit Court

**le comptable public** n.t. (*state accountant responsible for recovery* *and payments of debts owed by public authorities and for administering the public purse*)

**un arrêt définitif** *decision open to appeal on law rather than fact*

---

# Exercice 2

*Answer the following comprehension questions.*

1 Pourquoi les Cours administratives d'appel sont-elles créées?

2 Enumérez les triples compétences juridictionelles du Conseil d'Etat.

3 La Cour administrative d'appel a-t-elle une compétence d'appel générale ou une compétence d'attribution?

4 Quel est le rôle du Conseil d'Etat depuis la loi du 31 décembre 1987?

5 Quelle est la fonction principale de la Cour des comptes?

## Abréviations des noms de juridictions

| Juridiction | Abréviation |
|---|---|
| Conseil constitutionnel | C.C./Cons. const. |
| Conseil d'Etat | C.E. |
| Conseil d'Etat, assemblée plénière | C.E. Ass. |
| Conseil d'Etat, section du contentieux | C.E. Sect. |
| Cour administrative d'appel | C.A.A. adm. |
| Cour d'appel | C.A. |
| Cour de cassation | Cass. |
| Cour de cassation, chambre civile | Cass. civ. |
| Cour de cassation, chambre commerciale | Cass. com. |
| Cour de cassation, chambre criminelle | Cass. crim. |
| Cour de cassation, chambre mixte | Cass. ch. mixte. |
| Cour de cassation, chambre sociale | Cass. soc. |
| Tribunal administratif | T.A. |
| Tribunal de commerce | T. com. |
| Tribunal de grande instance | T.G.I. |
| Tribunal de police | T. pol. |
| Tribunal des conflits | T.C./T. confl. |
| Tribunal d'instance | T.I. |

# Exercice 3

*From the two lists below link the words that are, in certain contexts, synonyms.*

le recours
le litige
la compétence
le plaideur
pénal
statuer
d'exception
faire appel
le tribunal de premier degré
juger en fait

répressif
la juridiction de première instance
le pourvoi
l'affaire
juger au fond
interjeter appel
le demandeur
spécialisé
le ressort
juger

# Points d'actualité

## Les chambres régionales des comptes

Créées en 1982, ces juridictions sont devenues la hantise des maires et des présidents de conseil général. Leurs observations ont été à l'origine de la chute de nombreux élus. Exemplaire est, à cet égard, le cas de Jacques Médecin, qui choisira l'exil en Uruguay en 1990, à la suite d'un rapport de la chambre régionale des comptes de Provence-Alpes-Côte d'Azur dénonçant les gymnastiques financières du maire de Nice à l'occasion de la dette de la ville.

Jean-Luc Bécart, sénateur (PC) du Pas-de-Calais, doit, lui aussi, ses ennuis judiciaires à un méchant rapport de la chambre régionale des comptes de septembre 1994. Lequel révélait que Bécart, grâce à des fonds prélevés sur l'amicale du personnel de la commune d'Auchel, dont il fut maire jusqu'en 1995, s'était constitué une caisse noire à usage strictement privé. Résultat: le 22 décembre, à la suite d'une requête du juge Persyn, le Sénat votait la levée de l'immunité de Jean-Luc Bécart. Quatre jours plus tard, ce dernier était écroué . . .

(Gilles Gaetner, © *L'Express* 1997)

## La droite tente de protéger ses élus

Une proposition de loi fait bouillonner le milieu judiciaire. Rédigée par deux sénateurs RPR, Patrice Gélard et Jean-Patrick Courtois, elle a pour objet de «préciser» les compétences des chambres régionales des comptes (CRC), ces juridictions que les lois de décentralisation ont chargées de contrôler les finances des collectivités locales. Selon les co-rédacteurs de la proposition, une «dérive» aurait conduit les CRC à exercer un «véritable contrôle d'opportunité sur les décisions prises par des assemblées élues au suffrage universel». Il conviendrait donc de borner les compétences de ces chambres. «L'examen de la gestion d'une collectivité territoriale par une CRC, indique le texte, ne peut porter sur les choix de gestion qui résultent de délibérations prises par l'assemblée délibérante de cette collectivité.» Autrement dit: pas de contrôle sur les dépenses votées souverainement par les conseils municipaux, généraux ou régionaux.

Le deuxième article prévoit, en outre, que «le représentant de la collectivité concernée», s'il estime que la CRC s'est aventurée au-delà de ses prérogatives, pourra saisir la Cour des comptes afin qu'elle empêche la publication des observations définitives.

Cette velléité de réforme des CRC a provoqué le courroux des juges. A l'instar de Pierre Joxe, premier président de la Cour des comptes, les magistrats y voient un moyen de «vider de leur contenu» les attributions des chambres. Et ils profitent de l'occasion pour dénoncer le «contexte plus général de remise en cause de l'institution judiciaire» et les «tentatives d'autoblanchiment des élus».

(Adapted from Daniel Bernard, *L'Evènement du jeudi*, du 6 au 12 mars 1997)

## Dissertation

Comparez les attributions de la Cour de cassation et du Conseil d'Etat.

## Further reading

René Chapus, *Droit du contentieux administratif*, Paris: Dalloz.
Françoise Dreyfus and François d'Arcy, *Les Institutions politiques de la France*, Paris: Economica.

# Unit **7**

# JURIDICTIONS NON RATTACHEES

## **PART I** *Le Tribunal des conflits*

Des conflits d'attribution peuvent surgir entre l'ordre judiciaire et l'ordre administratif. Créé en 1872, le Tribunal des conflits règle les **conflits de compétence**. Il n'est rattaché à aucun des deux ordres de juridiction.

Les conflits de compétence d'attribution peuvent se présenter sous deux formes: les **conflits négatifs** et les **conflits positifs**. Il y a conflits négatifs d'attribution lorsque l'ordre administratif et l'ordre judiciaire s'affirment tous deux incompétents. Il y a conflits positifs d'attribution lorsqu'il y a une double revendication de compétence.

Exceptionnellement, le Tribunal des conflits peut **se prononcer** aussi sur les contrariétés de jugement, c'est-à-dire **sur le fond**.

---

**Vocabulaire**

**une juridiction non rattachée** *court outside the ordinary and administrative court system*
**le Tribunal des conflits** Jurisdiction Disputes Court

**le conflit de compétence** jurisdictional dispute
**le conflit négatif** n.t.
**le conflit positif** n.t.
**se prononcer** to pass judgment, decide
**sur le fond** on the substance

---

## Exercice 1

*Fill in the following gaps with the words provided:*

Le Tribunal des conflits a été créé pour régler des conflits de _____. Il évite les _____ en désignant l'ordre compétent. Il est indépendant des deux _____

52

de juridiction. En matière de compétence, les conflits dont le Tribunal des conflits a à connaître peuvent se présenter sous deux formes:

- soit une double affirmation d'incompétence (_____);
- soit une double revendication de compétence (_____).

(Text adapted from Jean Vincent *La Justice et ses Institutions*)

> **Words to choose from:**
>
> conflit positif      ordres              dénis de justice
> compétence           conflit négatif

## **PART II** *Le Conseil constitutionnel*

Le Conseil constitutionnel est un organe chargé de veiller au respect de la Constitution. Il assure le contrôle de la constitutionnalité des lois.

### La raison d'être de la création du Conseil constitutionnel

Les hommes de la Révolution, favorables au rôle accru d'un parlement élu, craignent **l'immixtion** du juge dans l'exercice du pouvoir législatif. La loi du 16-24 août 1790 interdit au juge cette prérogative. En conséquence, un climat hostile au contrôle de la constitutionnalité des lois se ressent. C'est seulement sous la IVᵉ République en 1946 qu'un Comité constitutionnel est créé, aux pouvoirs cependant très limités. La création du Conseil constitutionnel date de 1958. Elle incarne la volonté des **constituants** de mettre en place un mécanisme assurant le respect d'un nouvel équilibre entre le Parlement et le Gouvernement. Le Conseil répond à l'une des principales innovations de la Vᵉ République, celle de limiter les domaines dans lesquels la loi peut intervenir (art. 34 de la Constitution).

### La composition du Conseil constitutionnel

Sa composition est réglementée à l'article 56 de la Constitution, aux termes duquel le Conseil constitutionnel est composé de membres **nommés** et de membres **de droit**. Sur les neuf membres nommés, trois sont désignés par le président de la République, trois par le président de l'Assemblée et trois par le président du Sénat. Ils sont appelés également «les neuf sages». Leur mandat de neuf ans n'est pas renouvelable. Le Conseil se renouvelle par tiers tous les trois ans.

Les membres de droit qui siègent à vie sont les anciens présidents de la République. Jusqu'à présent, à quelques rares exceptions, les anciens présidents se sont abstenus de siéger.

La présence obligatoire d'au moins sept conseillers est requise lorsque le Conseil rend une décision ou un avis.

## Les attributions du Conseil constitutionnel

Le Conseil constitutionnel veille au respect de la Constitution. Ses pouvoirs sont énumérés de façon limitative par la Constitution et les lois organiques; il n'a qu'une **compétence d'attribution.**

Il est à la fois juge électoral et juge de la constitutionnalité des lois. En tant que juge électoral, il statue en cas de contestation sur la régularité de l'élection du président de la République, des députés et des sénateurs (art. 58 et art. 59). Aux termes de l'article 60:

«Le Conseil constitutionnel veille à la régularité des opérations de référendum et en proclame les résultats.»

En tant que juge de la constitutionnalité des lois, il est juge des textes législatifs, des traités, et des règlements intérieurs des assemblées parlementaires (art. 61). Une disposition déclarée inconstitutionnelle ne peut être promulguée ni mise en application (art. 62). Son intervention est obligatoire ou facultative. Selon l'article 61.1, le Conseil constitutionnel est obligatoirement saisi lorsqu'il s'agit de vérifier la constitutionnalité des lois organiques et les règlements des **assemblées parlementaires.**

Le contrôle des lois ordinaires et des traités est facultatif. Quatre articles de la Constitution prévoient quatre formes d'intervention du Conseil constitutionnel.

### L'article 41

Cet article autorise l'intervention préventive du Conseil constitutionnel avant la promulgation de la loi à la demande du gouvernement. L'article 41 vise ainsi au respect de la séparation du pouvoir législatif et du pouvoir réglementaire.

### L'article 37.2

L'article 37.2 prévoit l'intervention corrective du Conseil constitutionnel puisque ce dernier peut, à la demande du gouvernement, déclarer qu'une loi a un caractère réglementaire. Le gouvernement peut alors modifier la loi par décret.

### L'article 61.2

En vertu de cet article, le Conseil constitutionnel veille à la conformité des textes de loi à la Constitution. Il appartient au président de la République, au Premier ministre, au président de l'Assemblée nationale et au président du Sénat de saisir le Conseil. Depuis la loi constitutionnelle du 29 octobre 1974, ce droit de saisine a été étendu à soixante députés ou soixante sénateurs. En dépit de cette réforme, des limites subsistent. D'une part, le Conseil constitutionnel lui-même s'est reconnu incompétent à juger de la constitutionnalité des lois référendaires dans une décision du 6 novembre 1962. D'autre part, son contrôle de la constitutionnalité des lois n'est que préventif puisqu'il intervient avant la promulgation de la loi. De plus, sa saisine n'est que facultative.

Un projet de loi du 20 avril 1990 souhaitait permettre à tout citoyen de soulever l'inconstitutionnalité d'une loi devant une juridiction nationale (l'**exception d'inconstitutionnalité**). En raison de l'opposition du Sénat, ce projet n'a pas abouti.

### L'article 54

Selon l'article 54, un engagement international qui n'a pas encore été ratifié peut être déféré au Conseil constitutionnel par les mêmes personnes que pour la procédure de l'article 61 al.2.

---

**Vocabulaire**

**le Conseil constitutionnel** n.t. (sometimes translated as: Constitutional Court)
**l'immixtion** interference
**le constituant** constitutional legislator
**nommé** nominated, proposed
**de droit** as of right

**la compétence d'attribution** designated jurisdiction, designated competence
**l'assemblée parlementaire** parliamentary assembly
**l'exception (f) d'inconstitutionnalité** *plea that an Act breaches the Constitution*

---

## Exercice 2

*Multiple choice.*

1 Le Conseil constitutionnel se renouvelle tous les:
   ☐   3 ans
   ☐   6 ans
   ☐   9 ans

2 A la fin de son mandat présidentiel, le président de la République peut siéger:
   ☐   au Conseil d'Etat
   ☐   au Conseil constitutionnel
   ☐   au Sénat

3 Le contrôle de constitutionnalité des lois ordinaires par le Conseil constitutionnel est:
   ☐   facultatif
   ☐   obligatoire

4 Qui n'a pas le droit de saisir le Conseil constitutionnel?
   ☐   le Premier ministre
   ☐   un citoyen
   ☐   le président de l'Assemblée nationale
   ☐   le président de la République

**5** En tant que juge juridictionnel, le Conseil constitutionnel rend des:
- ☐ arrêts
- ☐ jugements
- ☐ décisions

## Points d'actualité

This article is concerned with a controversial piece of legislation which aimed to impose further restrictions on immigration to France.

### Le Conseil constitutionnel censure deux dispositions de la loi Debré

Deux inconstitutionnalités, quatre réserves d'interprétation et quatre précisions: Jean-Louis Debré et la majorité franchissent sans trop de difficultés l'obstacle du Conseil constitutionnel. Dans sa décision, prise mardi 22 avril et rendue publique mercredi, après qu'il ait été saisi par les députés socialistes ainsi que par les sénateurs socialistes et communistes, celui-ci a validé l'essentiel de la loi portant diverses dispositions relatives à l'immigration. Le durcissement de la législation, voulu par le ministre de l'intérieur, est d'autant plus préservé que les deux dispositions censurées avaient été ajoutées par les parlementaires, même si ce fut avec le plein soutien du gouvernement, et que les réserves et précisions apportées par les gardiens de la Constitution correspondent, en général, à une application normale de la législation.

Le Conseil constitutionnel s'est efforcé de concilier deux principes aux conséquences souvent opposées qu'il a ainsi présentés: «Si le législateur peut, s'agissant de l'entrée et du séjour des étrangers, prendre des dispositions spécifiques destinées notamment à assurer la sauvegarde de l'ordre public, qui constitue un objectif de valeur constitutionnelle, il lui appartient de concilier cet objectif avec le respect des libertés et droits fondamentaux reconnus à tous ceux qui résident sur le territoire de la République.» Mais le Conseil a été sensible aux arguments développés par le gouvernement sur les difficultés pratiques de la lutte contre l'immigration clandestine et donc sur la nécessité de faciliter la tâche de l'administration, fût-ce par quelques entorses à certains principes de droit.

(Thierry B., *Le Monde*, 25 avril 1997)

**PART III** *La Haute cour de justice et la Cour de justice de la République*

Ces deux juridictions s'occupent des infractions commises par le président de la République et par ses ministres. Jusqu'à la loi constitutionnelle du 27 juillet 1993, seule la Haute Cour existe et est compétente pour sanctionner le président de la

République pour haute trahison et ses ministres pour les crimes et délits accomplis dans l'éxercice de leurs fonctions.

L'affaire dite du «sang contaminé» attire l'attention du public sur les faiblesses de l'ancien système. On reproche à divers ministres de ne pas s'être opposés à temps à l'utilisation de plasmas sanguins contaminés par le virus du SIDA. **La mise en accusation** est tellement difficile devant la Haute cour de justice que cela équivaut presque à une garantie d'impunité. Les poursuites ne sont déclenchées que par une **résolution de mise en accusation** qui doit être adoptée en termes identiques par les deux assemblées. Une **Commission d'instruction** vérifie s'il existe des preuves suffisantes des faits énoncés dans la résolution des mises en accusation. Lorsque l'instruction est close, elle ordonne, s'il y a lieu, le renvoi devant la Haute Cour. Elle dispose donc en fait d'un pouvoir d'appréciation qui, dans certains cas, peut lui permettre d'interrompre les **poursuites**. La Haute Cour est uniquement composée de 24 parlementaires (des députés et des sénateurs) élus par les assemblées. La décision de la Haute Cour ne peut être contestée devant aucune **instance juridictionnelle**.

A la suite de certaines affaires retentissantes, notamment l'affaire du sang contaminé, dans un souci de voir respecter le principe de **la responsabilité pénale** des ministres, la Cour de justice de la République est créée en 1993. Depuis, la Haute Cour est compétente au seul cas de haute trahison du président de la République. La Cour de justice de la République remplace la Haute cour de justice pour engager des poursuites contre les membres du gouvernement.

Désormais, la mise en accusation devant la Cour de justice de la République ne dépend plus des assemblées parlementaires. Toute **personne physique** qui se prétend **lésée** par un crime ou un délit par un membre du gouvernement dans l'exercice de ses fonctions peut porter plainte auprès d'une **commission des requêtes**. Cette commission joue un rôle capital dans la procédure, c'est elle qui décide si la Cour de justice de la République doit ou non être saisie. **Le procureur général** peut la saisir d'office sur avis conforme de la commission des requêtes. La Cour de justice de la République comprend douze parlementaires et trois magistrats de carrière de la Cour de cassation. L'un de ces derniers préside la Cour de justice de la République.

| Vocabulaire | |
|---|---|
| **la Haute cour de justice**  n.t. | **la poursuite**  prosecution |
| **la Cour de justice de la République**  n.t. | **l'instance (f) juridictionnelle**  court |
| **la mise en accusation**  bringing charges | **la responsabilité pénale**  criminal |
| **la résolution de mise en accusation** | liability |
| decision to bring charges | **la personne physique**  natural person |
| **la Commission d'instruction**  n.t. | **lésé**  (here) prejudiced |
| (*Committee responsible for opening a* | **la commission des requêtes**  n.t. |
| *judicial investigation*) | **le procureur général**  public prosecutor |

À L'ÉPOQUE, ON AVAIT LE CHOIX ENTRE NE RIEN FAIRE OU SE TROMPER.

From *Le Monde*, 21 mars 1997.
By permission of Denis Pessin.

## Exercice 3

*Fill in the gaps in the table below.*

| Juridiction | Composition | Compétence territoriale | Compétence d'attribution | Recours possible en appel et/ou en cassation |
|---|---|---|---|---|
| Cour d'assises | 3 juges et 9 _____ | 1 par département | crime | _____ |
| tribunal correctionnel | 3 juges | au moins 1 par _____ | _____ | _____ |
| tribunal de police | _____ | 1 par _____ | _____ | appel |
| la Haute cour de justice | 24 _____ | 1 au niveau national | haute trahison du fait du président de la République | _____ |
| la Cour de justice de la République | 12 parlemen-taires et 3 magistrats de carrière | _____ | _____ | aucun recours possible |

# Points d'actualité

In the 1980s a number of haemophiliacs contracted AIDS as a result of blood transfusions being carried out with blood that was contaminated with the virus. Criticism was incurred that blood supplies had not been destroyed when there was an awareness of the risk of contamination.

## Sang contaminé: l'instruction à l'égard des ministres se poursuit

La Commission d'instruction de la Cour de justice de la République (CJR) a décidé, par un arrêt rendu 13 mars, de poursuivre, au vu de nouveaux documents, l'instruction de l'affaire du sang contaminé à l'égard de Laurent Fabius, Georgina Dufoix et Edmond Hervé. La commission a pris cette décision deux jours après avoir reçu notification du réquisitoire du procureur général, Jean-François Burgelin, réclamant un non-lieu total pour les trois anciens ministres.

Cette décision fait suite à la communication, le 6 mars, de nouveaux documents par le juge d'instruction parisien Odile Bertella-Geffroy. Elle instruit le second dossier du sang contaminé, ouvert sous la qualification d'«empoisonnement» et dans lequel sont notamment mis en examen le docteur Michel Garetta et des collaborateurs des trois anciens ministres. Les documents, transmis à la commission, l'ont été également à M. Burgelin afin qu'il les intègre dans sa réflexion. Selon certaines sources, ils ne lui ont pas paru de nature à changer sa demande de non-lieu.

## Débat contradictoire

La Commission d'instruction, présidée par Guy Joly, a estimé que ces nouveaux documents devaient faire l'objet d'un débat contradictoire, notamment avec les ministres mis en examen depuis septembre 1994 pour «complicité d'empoisonnement.» Elle a donc décidé de poursuivre l'instruction de l'affaire, et devrait réentendre Mme Dufoix comme MM. Fabius et Hervé. A l'issue de ce supplément d'instruction, elle devrait à nouveau transmettre son dossier à M. Burgelin.

Plusieurs avocats d'hémophiles contaminés s'étaient étonnés que la Cour de justice de la République puisse décider de clore son instruction avant même que Mme Bertella-Geffroy ne clôture son dossier. Ils font valoir que de nouveaux éléments pourraient relancer l'instruction menée en parallèle par la CJR. C'est donc vraisemblablement pour ne pas courir le risque de voir l'instruction menée par la Cour de justice frappée d'une nullité de procédure que la commission a décidé de reprendre son instruction.

Dans l'affaire instruite par Mme Bertella-Geffroy, quatorze personnes ont été pour l'instant mises en examen: des dirigeants du Centre national de transfusion . . . ; des conseillers ministériels . . . ; des membres de la direction générale de la santé . . . ; l'ancien directeur du laboratoire national de la santé . . . et l'ancien directeur de la firme Diagnostics Pasteur. Des hémophilologues et des responsables de centres de transfusion mis en cause dans l'affaire des collectes en milieu carcéral pourraient être mis en examen.

(Franck Nouchi, *Le Monde*, 16/17 mars 1997)

## Dissertation

Quand et comment intervient le Conseil constitutionnel dans sa fonction de juge de la constitutionnalité des lois?

## Further reading

Georges Burdeau, Francis Hamon and Michel Troper, *Droit constitutionnel*, Paris: Librairie générale de droit et de jurisprudence.

Bernard Chantebout, *Droit Constitutionnel et Science Politique*, Paris: Armand Colin Editeur.

Louis Favoreu and Loïc Philip, *Les grandes décisions du Conseil constitutionnel*, Paris: Sirey.

Roger Perrot, *Institutions judiciaires*, Paris: Montchrestien.

Henri Roussillon, *Le Conseil constitutionnel*, Paris: Dalloz.

Jean Vincent, *La Justice et ses Institutions*, Paris: Dalloz.

# Unit **8**

# LA DECISION DE JUSTICE

## PART I

*La rédaction des décisions de justice*

La rédaction traditionnelle des décisions de justice se différencie de la rédaction plus moderne.

## La rédaction traditionnelle

Une décision de justice, traditionnelle et concise, se trouve à la page 63 (*Example 1*). Elle consiste en une seule phrase et est divisée en deux parties: **les motifs** et **le dispositif.** Les motifs peuvent être définis comme l'exposé des éléments de fait ou de droit qui motivent la décision du juge. Le dispositif contient la solution du problème. C'est la décision du juge.

Chaque paragraphe contenant un motif est introduit par la locution conjonctive: «**attendu que**» ou, pour éviter toute répétition, par la conjonction «que». Les juridictions administratives, le Conseil constitutionnel et quelques Cours d'appel, comme celle de Paris, préfèrent la locution: «**considérant que**». Les motifs sont le plus souvent articulés en trois **attendus**.

La formule «**par ces motifs**» introduit le dispositif.

### Les arrêts de la Cour de cassation

Il y a deux types d'arrêts de la Cour de cassation: les **arrêts de rejet** et les **arrêts de cassation**.

*Les arrêts de rejet* Le premier attendu relate les faits du litige et énonce la solution retenue par la Cour d'appel. Le deuxième attendu énonce les éléments de droit. Ce sont **les moyens**, eux-mêmes divisés en **branches**, invoqués au soutien du **pourvoi**. Le troisième attendu contient le rejet des **prétentions** du **demandeur**, sous la formule «mais attendu que». On dit qu'il **est débouté de sa demande**. Les attendus sont suivis par le dispositif.

*Les arrêts de cassation* Au début des motifs se trouvent les **visas**. Ces visas se réfèrent aux textes de loi sur lesquels la Cour de cassation base sa décision. Les paragraphes des visas sont introduits par le mot «**vu**». Les motifs sont généralement articulés en deux à quatre attendus.

## La rédaction plus moderne des décisions de justice

Dans les années 70, une commission de modernisation du langage est créée pour rendre les termes juridiques plus accessibles au public. Dès lors, le style de rédaction des décisions de justice de première instance et d'appel se modernise. Il est beaucoup moins formel, surtout la première partie de la décision où les faits sont énoncés.

---

**Vocabulaire**

**le motif** ground for court's decision

**le dispositif** the court's finding (*stated at the end of the decision*)

**attendu que** whereas, given that

**considérant que** considering that, in view of

**un attendu** (here) reason adduced for a judgment

**par ces motifs** for these reasons

**un arrêt de rejet** *final decision rejecting an appeal on points of law*

**un arrêt de cassation** n.t. (*decision to quash a judgment of the lower courts*)

**les moyens (m)** legal reasons

**la branche** limb, branch

**le pourvoi** appeal

**la prétention** claim

**le demandeur** plaintiff, appellant, applicant

**être débouté de sa demande** to have one's case rejected

**le visa** *reference to legal text*

**vu** given, having seen

---

# Example 1

## Arrêt de la Cour de cassation

*This judgment arises from a civil dispute and the Cour de cassation dismissed the appeal on the law.*

## Cour de cassation, Ass. plén. 5 mai 1984

LA COUR; – Sur le moyen unique: – *Attendu*[1], selon *l'arrêt attaqué*[2] (Agen, 12 mai 1980), *que*[1] le 30 juin 1975, l'enfant Eric Gabillet, alors âgé de 3 ans, en tombant d'une **balançoire** improvisée constituée par une **planche** qui **se rompit**, **éborgna** son camarade Philippe Noye avec un bâton qu'il tenait à la main; *que*[3] M. Lucien Noye, **agissant en qualité d'**administrateur légal des biens de son fils, **assigna** ses parents, les époux Gabillet, en tant qu'**exerçant leur droit de garde**, en responsabilité de l'accident ainsi **survenu**; – *Attendu que*[4] les époux Gabillet **font grief** à l'arrêt d'avoir déclaré Eric Gabillet responsable **sur le fondement de** l'art. 1384, al. 1er, c.civ., *alors*[5], selon le *moyen*[6], *que*[5] **l'imputation** d'une responsabilité pré-sumée **implique** la faculté de **discernement**; que la cour d'appel a donc violé par fausse application l'alin. 1er de l'art. 1384 c.civ.;

Mais *attendu qu*[7]'en retenant que le jeune Eric avait l'usage, la direction et le contrôle du bâton, la cour d'appel, qui n'avait pas, malgré le très jeune âge de ce mineur, à rechercher si celui-ci avait un discernement, a *légalement justifié*[8] sa décision;

**Par ces motifs**[9], **rejette**[10].

> Faits
>
> Moyens de droit — Les motifs
>
> Confirmation de la décision de la C.A. — Le dispositif

[1] Premier «attendu que». Ces deux mots se trouvent souvent séparés dans la phrase.
[2] C'est l'arrêt de la Cour d'appel que le demandeur cherche à faire annuler par la Cour de cassation.
[3] Synonyme de «attendu que».
[4] Deuxième «attendu que».
[5] «Alors que» est la locution qui introduit toujours l'argument du pourvoi.
[6] «Moyen» qui introduit l'argument du demandeur. A noter, quelquefois il n'y a qu'un seul moyen, qu'on appelle «le moyen unique».
[7] Le troisième attendu d'un arrêt de rejet débute par cette formule «mais attendu que» et contient le rejet des prétentions du demandeur.
[8] Formule souvent utilisée dans l'arrêt de rejet.
[9] Formule traditionnelle introduisant le dispositif.
[10] C'est un arrêt de rejet.

---

**Vocabulaire**

| | |
|---|---|
| **la balançoire**  swing | **survenir**  to take place, to occur |
| **la planche**  plank of wood | **faire grief à**  (here) to attack |
| **se rompre**  to break | **sur le fondement de**  (here) under |
| **éborgner**  to make someone blind in one eye | **un alinéa**  paragraph |
| **agir en qualité de**  to act as | **l'imputation (f)**  (here) existence |
| **assigner**  to sue, to summon | **impliquer**  to imply |
| **exercer un droit de garde**  to act as legal guardians | **le discernement**  ability to reason |

# Example 2

*This judgment was concerned with an appeal on the law arising from the rejection of an application to be enrolled as an avocat. The Cour de cassation quashed the judgment of the cour d'appel.*

## Décision Civ. 20 juin 1972 D.1973 221

LA COUR,
*Sur le moyen unique*:
Vu art. 17, al.5 et art. 24 du décret du 10 avr. 1954;

Attendu qu'aux termes de ces textes, la cour d'appel, saisie du refus d'inscription au tableau ou d'admission au stage prononcé par le conseil de l'Ordre des avocats, doit rechercher non seulement si le postulant remplit toutes les conditions légales, mais encore si sa situation ne fait pas obstacle au plein et libre exercice de la profession et s'il présente, par sa moralité et son honorabilité, toutes garanties suffisantes pour la dignité de l'Ordre;

Attendu que, pour confirmer la décision du Conseil de l'Ordre du Barreau de N . . . en date du 10 juill. 1970 rejetant pour la troisième fois la demande d'inscription au stage formulée par X . . . , la cour d'appel énonce ce qu'il est du devoir et du droit des conseils de l'Ordre de vérifier et d'apprécier si un candidat . . . «offre des garanties suffisantes de pondération et de maîtrise de soi pour exercer la profession d'avocat qui exige un parfait équilibre et une constante courtoisie avec les magistrats, entre confrères et avec les justiciables. . . .», et constate qu'en l'espèce, «dans la cité et dans ses rapports antérieurs avec la Compagnie à laquelle il postule d'appartenir, X . . . a . . . fait montre d'une exaltation et d'un manque de contrôle dont il est légitime de penser qu'ils amèneraient . . . des incidents avec ses confrères, avec les justiciables et dans le prétoire en suite des pulsions passionnelles incompatibles avec l'oeuvre de justice . . .»;

Attendu cependant que les juges d'appel ne peuvent tenir compte des défauts de caractère d'un candidat que si ceux-ci sont incompatibles avec la moralité et l'honorabilité exigées par la profession d'avocat; qu'il s'ensuit qu'en statuant ainsi qu'il l'a fait, alors qu'il reconnaissait «la parfaite honorabilité et la haute moralité» de X . . . qui «possède tous les titres universitaires nécessaires pour accéder» à ladite profession, l'arrêt attaqué a violé, par fausse application, les textes susvisés;

Par ces motifs, casse . . . , renvoie devant la cour d'appel de Toulouse.

# Example 3

*This case was heard by the Conseil d'Etat. Note the differences in vocabulary; for example, the application is called a "requête" and the "motifs" are introduced by the phrase "considérant que" rather than "attendu que".*

## Conseil d'Etat, 20 octobre 1989, M. Nicolo

Vu la requête, enregistrée le 27 juin 1989 au secrétariat du contentieux du Conseil d'Etat, présentée par M. Raoul Georges Nicolo, et tendant à l'annulation des opérations électorales qui se sont déroulées le 18 juin 1989 en vue de l'élection des représentants au Parlement européen:

Vu les autres pièces du dossier;

Vu la Constitution, notamment son article 55;

Vu le Traité en date du 25 mars 1957, instituant la Communauté économique européenne;

Vu la loi no. 77–729 du 7 juillet 1977;

Vu le Code électoral;

Vu l'ordonnance no. 45–1708 du 31 juillet 1945, le décret no. 53–934 du 30 septembre 1953 et la loi no. 87–1127 du 31 décembre 1987;

Après avoir entendu le rapport de M. de Montgolfier, auditeur; les observations de la S.C.P. de Chaisemartin, avocat de M. Hervé de Charette; les conclusions de M. Frydman, commissaire du gouvernement;

*Sur les conclusions de la requête de M. Nicolo:*

Considérant qu'aux termes de l'article 4 de la loi no. 77–729 du 7 juillet 1977 relative à l'élection des représentants à l'Assemblée des Communautés européennes «le territoire de la République forme une circonscription unique» pour l'élection des représentants français au Parlement européen; qu'en vertu de cette disposition législative, combinée avec celles des articles 2 et 72 de la Constitution du 4 octobre 1958, desquelles il résulte que les départements et territoires d'outre-mer font partie intégrante de la République française, lesdits départements et territoires sont nécessairement inclus dans la circonscription unique à l'intérieur de laquelle il est procédé à l'élection des représentants au Parlement européen;

Considérant qu'aux termes de l'article 227–1 du traité en date du 25 mars 1957 instituant la Communauté économique européenne: «Le présent traité s'applique . . . à la République française»; que les règles ci-dessus rappelées, définies par la loi du 7 juillet 1977, ne sont pas incompatibles avec les stipulations claires de l'article 227–1 précité du Traité de Rome;

Considérant qu'il résulte de ce qui précède que les personnes ayant, en vertu des dispositions du chapitre 1er du titre 1er du livre 1er du Code électoral, la qualité d'électeur dans les départements et territoires d'outre-mer ont aussi cette qualité pour l'élection des représentants au Parlement européen; qu'elles sont également éligibles, en vertu des dispositions de l'article L.0–127 du Code électoral, rendu applicable à l'élection au Parlement européen par l'article 5 de la loi susvisée du 7 juillet 1977; que, par suite, M. Nicolo n'est fondé à soutenir ni que la participation des citoyens français des départements et territoires d'outre-mer à l'élection des représentants au Parlement européen, ni que la présence de certains d'entre eux sur des listes de candidats auraient vicié ladite élection: que, dès lors, sa requête doit être rejetée;

Sur les conclusions du ministre des Départements et Territoires d'outre-mer tendant à ce que le Conseil d'Etat inflige une amende pour recours abusif à M. Nicolo:

Considérant que des conclusions ayant un tel objet ne sont pas recevables:

Décide:

Article 1er: La requête de M. Nicolo et les conclusions du ministre des Départements et Territoires d'outre-mer tendant à ce qu'une amende pour recours abusif lui soit infligée sont rejetées.

# Exercice 1

*(a)   Fill in the gaps with the words provided.*

**Cour de cassation, Ch.Mixte 27 février 1970**

LA COUR; – Sur le moyen unique: – _____ l'art. 1382 c.civ.; – Attendu que ce texte ordonnant que l'auteur **de tout fait** ayant causé un **dommage** à **autrui sera tenu** de le réparer, n'exige pas, en cas de décès, l'existence d'un **lien de droit** entre **le défunt** et **le demandeur en indemnisation**; – _____ l'arrêt _____, statuant sur **la demande** de la dame Gaudras **en réparation du préjudice** résultant pour elle de la mort de son **concubin** Paillette, tué dans un accident de la circulation dont Dangereux avait été jugé responsable, a **infirmé le jugement** de _____ instance qui avait **fait droit à** cette demande en **retenant** que ce concubinage offrait des garanties de stabilité et ne **présentait** pas de **caractère délictueux**, et a _____ ladite dame Gaudras de son action, au seul _____ que le concubinage ne crée pas de droit entre les concubins ni à leur profit vis-à-vis des **tiers**; qu'en **subordonnant** ainsi l'application de l'art. 1382 à une condition qu'il ne contient pas, la Cour d'_____ a violé le texte **susvisé**;

Par ces motifs, _____, renvoie devant la Cour d'appel de Reims.

*Words to choose from:*

| attendu que | première | motif | débouté |
|---|---|---|---|
| casse | vu | appel | attaqué |

*(b)  Answer the following comprehension questions.*

**1**  What was the incident that gave rise to the litigation?

**2**  Who brought the initial action and against whom?

**3**  What was the decision of the court of first instance?

**4**  What was the decision of the Court of Appeal?

**5**  What was the decision of the Cour de cassation?

**Vocabulaire**

**de tout fait**  of any act
**le dommage**  damage
**autrui**  others
**être tenu**  (here) to be legally obliged
**le lien de droit**  legal relationship
**le défunt**  deceased (n)
**le demandeur en indemnisation**
  claimant for damages
**la demande en réparation du**
  **préjudice**  claim for damages

**le concubin, la concubine**  live-in partner
**infirmer le jugement**  to reject the
  decision
**faire droit à**  (here) to accept
**retenir**  (here) to acknowledge
**présenter un caractère délictueux**  to
  constitute a major offence
**le tiers**  third party
**subordonner à**  (here) to subject to
**susvisé**  aforementioned

## PART II  *La citation des décisions de justice*

Dans les pays de *common law*, les décisions de justice prennent le nom des parties au litige; alors qu'en France, on indique le nom de la juridiction qui a **rendu la décision**, suivi du nom de sa ville et de la date. Le nom des juridictions est le plus souvent abrégé. Voir sur ce point le tableau, page 49.

**Citons:**  T.I., Lyon, 10 mai 1996.
C'est un jugement du Tribunal d'instance de Lyon du 10 mai 1996.

S'il s'agit d'une Cour d'appel, on cite le nom de la ville où elle **siège** ainsi que la date.

Citons: Lyon, 18 jan. 1996.
C'est un arrêt de la Cour d'appel de Lyon du 18 janvier 1996.

Si c'est un arrêt de cassation, on retiendra le nom de la division qui a rendu la décision.

Citons: Cass, 2e civ. 20 sept. 1996.
C'est un arrêt de la deuxième chambre civile de la Cour de cassation du 20 septembre 1996.

Cass, comm. 13 avr. 1995.
C'est un arrêt de la chambre commerciale de la Cour de cassation du 13 avril 1995.

Lorsqu'il s'agit de décisions administratives, on se réfère au nom du demandeur.

Citons: C.E. 20 oct. 1989, Nicolo
C'est une décision du Conseil d'Etat du 20 octobre 1989. Le demandeur s'appelle Nicolo.

Les décisions administratives suffisamment connues sont souvent citées en utilisant le seul nom du demandeur.

Citons: arrêt Blanco
arrêt Nicolo

On indique ensuite la référence du **recueil** où la décision se trouve.

---

**Vocabulaire**

**rendre une décision**  to hand down a decision, to give a judgment
**citer**  to quote, to cite

**siéger**  to sit
**le recueil**  (here) law report

---

# Exercice 2

*With the help of the table on page 49, provide the abbreviations for the following cases.*

**1**  Arrêt de la chambre commerciale de la Cour de cassation du 6 février 1996.

**2**  Arrêt de la Cour d'appel de Nice du 15 novembre 1986.

**3**  Jugement du Tribunal d'instance de Nancy du 19 octobre 1975.

**4** Décision du Conseil d'Etat du 30 mai 1984.

**5** Arrêt de la troisième chambre civile de la Cour de cassation du 9 janvier 1988.

## Further reading

Henri Capitant, Alex Weill and François Terré, *Les grands arrêts de la jurisprudence civile*, Paris: Dalloz.
Isabelle Defrénois-Souleau, *Je veux réussir mon droit. Méthodes de travail et clés du succès*, Paris: Colin.
Louis Favoreu and Loïc Philip, *Les grandes décisions du Conseil constitutionnel*, Paris: Sirey.
Roger Mendegris and Georges Vermelle, *Le commentaire d'arrêt en droit privé. Méthode et exemples*, Paris: Dalloz.

# Unit 9

# LA PROCEDURE CIVILE

## **PART I** *L'action en justice*

Le Code de procédure civile de 1806 fit l'objet de critiques. En 1969, une commission présidée par le ministre de la Justice en place, Jean Foyer, entendit le réformer. Le décret du 5 septembre 1975 créa le nouveau Code de procédure civile (NCPC). Aux termes de l'article 30 du nouveau Code:

> «l'action est le droit, pour l'auteur d'une **prétention**, d'être entendu sur **le fond** de celle-ci, afin que le juge la dise **bien** ou **mal fondée**. Pour l'adversaire, l'action est le droit de discuter du **bien fondé** de cette prétention.»

En conséquence, l'action est un pouvoir légal. Elle est facultative et libre. Au cas où le demandeur est débouté de son action, aucune **sanction** n'est prévue; à moins que l'auteur de cette prétention n'en abuse. L'action est **le droit d'agir**, qui se distingue de **la demande** puisque la demande n'est que l'expression procédurale de l'action, c'est-à-dire le fait de lancer le procès.

### La demande introductive

Une **demande introductive d'instance** est nécessaire pour exercer une action en justice. Cette demande initiale est soumise à l'existence d'une action **recevable**. L'action n'est recevable que si certaines conditions sont réunies. Aux termes de l'article 31 NCPC:

> «L'action est ouverte à tous ceux qui ont un intérêt légitime au succès ou au rejet d'une prétention, sous réserve des cas dans lesquels la loi attribue le droit d'agir aux seules personnes qu'elle qualifie pour élever ou combattre une prétention, ou pour défendre un intérêt déterminé.»

En somme, **le demandeur** doit **avoir intérêt** et **qualité pour agir**. L'intérêt doit être légitime, personnel et direct. L'intérêt pour agir est légitime lorsqu'il est déterminé par la loi en fonction de la nature du **litige**. Ainsi, **le législateur** n'autorise **l'action**

**en divorce** qu'aux seuls époux. Le litige doit être direct, c'est-à-dire **né** et **actuel** et non **éventuel**. Cette exigence écarte les actions préventives destinées à se protéger à l'avance contre un acte ou un fait. L'intérêt pour agir doit de même être personnel: nul ne peut agir en justice pour un fait ou un dommage qui lui est extérieur. Une personne doit avoir qualité pour agir: ainsi **la recherche de paternité naturelle** n'appartient qu'à l'enfant et pendant sa minorité la mère a, seule, qualité pour l'exercer.

Le demandeur **cite** son adversaire **à comparaître** devant le tribunal par **un acte d'huissier**, l'**assignation** (art. 55 NCPC). **Le défendeur** est donc officiellement avisé du déclenchement de la procédure par cet acte qui lui **est signifié**. Le plus souvent, le défendeur **est assigné à comparaître** dans un délai de quinze jours (art. 755 NCPC).

---

**Vocabulaire**

| | |
|---|---|
| **l'action en justice**  *the right to bring and defend an action* | **le litige**  legal dispute, litigation |
| **la prétention**  claim | **le législateur**  (here) Parliament |
| **le fond**  facts | **l'action (f) en divorce**  divorce proceedings |
| **bien ou mal fondé**  well or ill-founded | **né**  (here) in existence |
| **le bien fondé**  (here) validity | **actuel**  immediate |
| **la sanction**  sanction | **éventuel**  hypothetical |
| **le droit d'agir**  the right to bring an action | **la recherche de paternité naturelle**  establishing paternity |
| **la demande**  claim | **citer à comparaître**  to summon |
| **la demande introductive d'instance**  statement of claim | **un acte d'huissier**  document served by the court bailiff |
| **recevable**  admissible | **une assignation**  writ, summons |
| **le demandeur**  plaintiff | **le défendeur**  defendant |
| **avoir intérêt pour agir**  to have a sufficient interest to bring an action | **signifier à**  to serve on |
| **avoir qualité pour agir**  to have authority to bring an action | **être assigné à comparaître**  to be summoned |

---

# Exercice 1

*Fill in the blanks with the appropriate word taken from the list below.*

## L'action en justice (art. 30 NCPC)

«l'action est le _____, pour l'auteur d'une _____, d'être entendu sur le _____ afin que le juge la dise bien ou mal _____».

## Intérêt et qualité (art. 31 NCPC)

«l'action est _____ à tous ceux qui ont un _____ légitime au succès ou au _____ d'une prétention, sous réserve des cas dans lesquels la _____ attribue le droit d'_____ aux seules personnes qu'elle qualifie . . . ».

| Words to choose from: | | |
|---|---|---|
| fond | intérêt | agir |
| loi | ouverte | droit |
| rejet | fondée | prétention |

## Exercice 2

*Match the word in the left-hand column with the correct definition in the right-hand column.*

| | | | |
|---|---|---|---|
| **A** | le demandeur | **1** | peine prévue pour assurer l'exécution d'une loi |
| **B** | l'action en justice | **2** | un procès est engagé contre lui |
| **C** | le litige | **3** | acte par lequel le plaideur soumet une prétention au juge |
| **D** | le défendeur | **4** | il prend l'initiative du procès |
| **E** | l'assignation | **5** | difficulté de fait ou de droit soumise à l'examen d'un juge |
| **F** | la demande | **6** | le pouvoir d'intenter un procès |
| **G** | la sanction | **7** | la légitimité de la prétention |
| **H** | le bien fondé | **8** | elle forme l'objet du litige |

# PART II *La mise en état*

La mise en état, encore appelée «l'instruction», permet à chaque **plaideur** d'organiser la défense de ses intérêts. Elle se déroule de la manière suivante: l'une des parties, ou son avocat, dépose une copie de l'assignation au **secrétariat-greffe** du tribunal compétent. **Le greffier** inscrit l'affaire sur un registre, c'est-à-dire qu'il l'**enrôle** et lui donne un numéro d'ordre. C'est **la mise au rôle**. Le président du tribunal fixe la date à laquelle l'affaire sera appelée. Avant la date prévue, les avocats des parties procèdent à l'échange des **conclusions**. A ce stade, les parties doivent se faire connaître mutuellement **les moyens de fait** et **de droit** qu'elles invoquent (art. 15 NCPC).

## Les défenses

Les défenses sont des **procédés** mis à la disposition du défendeur tendant à faire rejeter les prétentions de l'adversaire.

- **La défense au fond** permet au défendeur de contredire directement les prétentions du demandeur (art. 71 NCPC). Elle peut être présentée **en tout état de cause**: en première instance et en appel.
- Le défendeur engage une **exception de procédure** lorsqu'il conteste la régularité de la procédure sans aborder le fond du procès. Il peut, par exemple, soulever l'incompétence du tribunal saisi.
- **La fin de non-recevoir** conteste le droit d'action de l'adversaire. Le défendeur soulève soit le défaut d'intérêt ou encore le défaut de qualité pour agir du demandeur. Tout comme l'exception de procédure, la fin de non-recevoir empêche le juge d'examiner le fond du litige.

## Les demandes

Au cours de l'instruction, des **demandes incidentes** peuvent se greffer sur une procédure déjà commencée. On différencie les demandes incidentes en fonction de leurs auteurs:

- **La demande reconventionnelle** est formée par le défendeur qui, d'une part en réplique à la demande initiale, présente ses **moyens de défense**, et d'autre part attaque à son tour et soumet au tribunal ses prétentions nouvelles. Ainsi, le mari **assigné en divorce** à ses torts contre-attaque en demandant **le prononcé** du divorce **aux torts de** son épouse.
- **La demande additionnelle** est l'acte par lequel le demandeur, en cours d'instance, formule une prétention nouvelle quoique connexe à la demande initiale.
- **La demande en intervention** est dirigée ou bien par l'une des parties contre un **tiers** (**intervention forcée**) ou bien par un tiers contre l'un des plaideurs (**intervention volontaire**).

## L'appel des causes

Au jour fixé par le président du tribunal, l'affaire est appelée à l'audience dite «appel des causes». Le président s'entretient avec les avocats et s'il estime l'affaire prête à être jugée (**le dossier de plaidoiries** est alors complet), il fixe une date d'audience. C'est le système du **circuit court**. Au contraire, le juge opte pour **le circuit long**, s'il estime les conclusions insuffisantes pour que l'affaire soit jugée immédiatement. Il nomme alors un **juge de la mise en état** chargé de veiller au bon déroulement de l'instance. Les pouvoirs étendus de ce dernier facilitent l'instruction de l'affaire. Il peut ordonner que les plaideurs se communiquent les pièces dont elles se servent: les parties produisent des **éléments de preuve**. Le juge de la mise en état doit également veiller à la ponctualité de l'échange des conclusions. Il peut ordonner des expertises et des enquêtes, voire même ordonner des **mesures provisoires**.

Lorsque l'affaire est prête à être jugée, le juge rend **une ordonnance de clôture** de l'instruction. A ce moment, l'affaire est renvoyée à **l'audience des plaidoiries**.

**la mise en état**  preparatory phase (of case)

**le plaideur**  litigant

**le secrétariat-greffe**  court office

**le greffier**  clerk of the court

**enrôler**  to list (a case)

**la mise au rôle**  listing of a case

**les conclusions**  submissions

**les moyens de fait**  issues of fact

**les moyens de droit**  points of law

**les procédés**  procedures

**la défense au fond**  *defence based on the merits of the case*

**en tout état de cause**  (here) at any point

**l'exception de procédure**  *plea based on procedural irregularity*

**la fin de non-recevoir**  striking out of a case

**la demande incidente**  annexed claim

**la demande reconventionnelle**  counterclaim

**les moyens de défense**  grounds for the defence

**être assigné en divorce**  to be sued for divorce

**le prononcé**  declaration

**aux torts de**  against

**la demande additionnelle**  further claim

**la demande en intervention**  *third party notice (of a claim made by or against a third party)*

**le tiers**  third party

**une intervention forcée**  n.t. (*joining of a third party to the proceedings*)

**une intervention volontaire**  n.t. (*a third party joining the proceedings*)

**l'appel des causes**  n.t. (nearest English equivalent: pre-trial hearing)

**le dossier de plaidoiries**  written submissions

**le circuit court**  *short procedure*

**le circuit long**  *long procedure*

**le juge de la mise en état**  n.t. (sometimes translated as: preparatory judge)

**les éléments de preuve**  pieces of evidence

**les mesures provisoires**  interim measures

**une ordonnance de clôture**  closing order

**l'audience des plaidoiries**  hearing of the action, hearing of the case

# Exercice 3

*At the start of this Unit, the phrase "aux termes de" was used. Below is a list of other useful phrases. Complete the sentences with the appropriate phrase, making the necessary changes.*

**1** _____ procès, l'adversaire a introduit une demande reconventionnelle.

**2** Le juge a prononcé le divorce _____ l'épouse.

**3** Il n'a pas pu agir en justice _____ son incapacité juridique.

**4** _____ moment où vous soulevez une fin de non-recevoir, le juge ne peut plus examiner le fond du litige.

**5** _____ l'exception d'incompétence, celle-ci peut être formée par l'adversaire du demandeur.

*Phrases to choose from:*

| | | |
|---|---|---|
| à partir de | en ce qui concerne | aux torts de |
| au cours de | en raison de | |

# PART III *L'audience*

L'audience est la séance au cours de laquelle les parties exposent leurs prétentions et leurs arguments devant un **juge arbitre** qui, passif, écoute pour **trancher** le litige. **Accusatoire**, la procédure est **contradictoire**, publique et orale.

## Le principe du contradictoire

Aux termes de l'article 14 NCPC, le principe du contradictoire est le principe selon lequel:

> «nulle partie ne peut être jugée sans avoir été entendue ou appelée».

De manière à assurer la loyauté interne du procès, l'adversaire ne peut être jugé sans avoir connaissance de ce qu'on lui reproche ou de ce qu'on demande contre lui. A cette fin, l'avocat de la défense et celui du demandeur s'échangent par écrit leurs conclusions avant l'audience et plaident oralement au cours de l'audience.

## Le principe de la publicité des débats

**En vertu de** l'article 5 de la Déclaration des droits de l'homme, la justice doit être rendue de manière publique de sorte à éviter des soupçons ou de fausses interprétations. Cependant, au nom de certains droits fondamentaux, certaines audiences ont lieu **à huis clos** (divorce, recherche de paternité) pour garantir la protection de la vie privée.

## L'oralité des débats

L'oralité des débats offre l'avantage d'une **contradiction** vivante et directe, et permet au juge de mieux comprendre les éléments principaux d'une affaire. Elle est préférable à une lecture souvent volumineuse du dossier. Au cours des **plaidoiries** chacun des avocats, celui du demandeur d'abord, celui du défendeur ensuite, expose oralement les prétentions développées dans ses conclusions.

## Le jugement

A la fin des plaidoiries, le président prononce **la clôture des débats**. Puis l'affaire est **mise en délibéré**. Le tribunal peut rendre son jugement soit immédiatement, soit après un délai de réflexion qui peut être de plusieurs semaines. C'est **le jugement**

**sur le fond**, encore appelé **jugement définitif**. Dans le cas où il ne peut pas prendre de décision définitive, le tribunal peut rendre un jugement provisoire; c'est un **jugement avant dire droit**. Le jugement définitif ne pourra intervenir qu'après une nouvelle instruction du dossier.

---

**Vocabulaire**

**l'audience** court hearing
**le juge arbitre** *judge acting as an arbitrator*
**trancher** adjudicate
**accusatoire** adversarial
**contradictoire** *giving due hearing to the parties*
**les débats** arguments
**en vertu de** by virtue of
**à huis clos** in camera
**l'oralité (f)** oral character
**la contradiction** debate

**les plaidoiries** oral submissions
**la clôture des débats** closing of oral submissions
**mis en délibéré** discussed (by trial judges)
**le jugement sur le fond** *a decision on the facts and the law*
**le jugement définitif** definitive judgment
**le jugement avant dire droit** interim, provisional decision

---

## Exercice 4

*Match the equivalents in the two columns.*

| | |
|---|---|
| droit | arrêt |
| défendeur | demande |
| habiliter | litige |
| décision | pouvoir |
| prétention | procès |
| instance | adversaire |
| affaire | autoriser |

## Exercice 5

*Put the word that fits the definition in the appropriate horizontal space. Once the words are completed, the column outlined in bold will spell out a key word in this Unit.*

1  Les prétentions et arguments des parties. (11 lettres)

2  Action d'inscrire l'affaire sur un registre. (7 lettres)

3  L'ensemble des moyens de fait et de droit. (11 lettres)

4  C'est un des caractères de la procédure civile. (14 lettres)

**5** Une préparation approfondie du dossier. (10 lettres)

**6** Acte par lequel le demandeur cite son adversaire à comparaître en justice. (11 lettres)

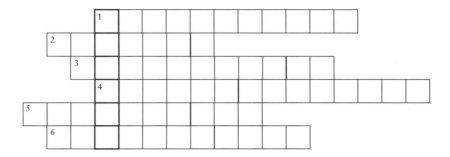

## Points d'actualité

### Jacques Chirac se donne cinq ans pour moderniser le système judiciaire

Moins de deux ans après son arrivée à l'Elysée, Jacques Chirac a annoncé qu'il souhaitait faire de la justice un des grands chantiers du septennat. Garant, aux termes de la Constitution de la Ve République, de l'indépendance de l'autorité judiciaire, le chef de l'Etat a placé cette question aux côtés des quatre «grandes réformes qui sont en cours»: la modernisation de la défense nationale, la sauvegarde de la protection sociale, la réforme de l'Etat et l'adaptation du système éducatif. «Il nous faut maintenant bâtir une bonne justice, une justice incontestée, une justice sereine et respectée», a-t-il conclu.

La première étape est l'installation, mardi 21 janvier, de la commission de réflexion présidée par le premier président de la Cour de cassation, Pierre Truche.

Composée de vingt membres, elle sera chargée, «en toute liberté», d'examiner la question de la réforme de la justice dite «quotidienne». Evoquant les affaires familiales et prud'homales, M. Chirac a déclaré que la justice de proximité «ne répondait pas aux attentes des Français». «Vous êtes nombreux à la trouver trop lente, parfois trop chère et, en définitif, peu compréhensible», a-t-il souligné.

Depuis le milieu des années 70, la justice est confrontée à une énorme augmentation des contentieux civils. «Au cours des vingt dernières années, le flux des affaires a plus que triplé en première instance et en appel», soulignait, en octobre 1996, la mission du Sénat.

Face à cette marée, les tribunaux ont privilégié l'efficacité: de 1982 à 1992, le nombre d'affaires jugées par magistrat est passé de 160 à 210. «Ces efforts, liés à une augmentation du nombre et de la longueur des audiences et à une plus forte utilisation des procédures simplifiées, ne sont pas sans limites, ni sans risques pour le justiciable», observait Jean Raynaud en 1993.

(Adapted from Anne Chemin, *Le Monde*, mercredi 22 janvier 1997)

## Dissertation

Selon P. Malinvaud, *Introduction à l'étude de droit*, Litec, 5ᵉ édition, 1990:

«Nul ne pouvant se faire justice à lui-même, l'action en justice est pour les particuliers le mode normal de mise en oeuvre de la sanction...»

Définir ce qu'est l'action en justice en tenant compte de cette déclaration.

## Further reading

Gérard Couchez, *Procédure civile*, Paris: Sirey.
Hervé Croze, *Procédure civile*, Paris: Puf.
Jean Larguier, *Procédure civile*, Paris: Dalloz.
*Nouveau code de procédure civile*, Paris: Dalloz.

# LA PROCEDURE PENALE

## PART I *Introduction*

La justice pénale a pour but de juger tous les actes qui sont des infractions à la loi. Le Code pénal contient un inventaire des **infractions** et des **peines** applicables. Le Code de procédure pénale (CPP) de 1958 énumère tous les actes de procédure.

La procédure pénale comprend essentiellement trois étapes:

- l'**enquête** et **la poursuite**
- l'**instruction**
- **le procès**.

Conformément à la séparation des fonctions judiciaires, chaque étape de la procédure pénale se distingue l'une de l'autre. L'enquête constate l'infraction et recherche tous les renseignements utiles, l'instruction tente à la fois d'éclairer les circonstances de l'infraction et la personnalité du responsable, le procès règle la difficulté de fait ou de droit soumise à l'examen d'un juge.

L'enquête et l'instruction sont des procédures qui sont essentiellement **inquisitoires**, c'est-à-dire non contradictoires, secrètes et écrites. Par contre, au moment de l'audience, elle devient **accusatoire: contradictoire**, publique et orale. La procédure pénale obéit, sans conteste, à un système mixte: accusatoire et inquisitoire.

### La police

On distingue deux types de police: **la police administrative** et **la police judiciaire** (P.J.). La police administrative vise à empêcher la commission d'infractions alors que la police judiciaire a pour objectif, une fois l'infraction commise, d'en rechercher l'auteur et les preuves. Ces missions sont remplies par deux catégories principales de fonctionnaires: la première, la police nationale qui dépend du ministère de l'Intérieur, présente essentiellement dans les zones urbaines; la deuxième, la gendarmerie nationale qui dépend du ministère de la Défense, présente en périphérie des grandes villes et en zone rurale.

La police judiciaire comporte les **officiers de police judiciaire** (O.P.J.), **aux pouvoirs renforcés**, et les **agents de police judiciaire** (A.P.J.), aux pouvoirs moins importants.

## L'action publique

Toute infraction à la loi pénale peut donner lieu à une action publique (art. 1 CPP). Cette action est exercée par des fonctionnaires, normalement **le procureur de la République**, qui requiert l'application de la loi au nom de la société.

## L'action civile

L'action civile est une action privée, exercée par la victime ou ses représentants qui réclament la réparation du dommage subi sous forme de **dommages-intérêts** (art. 2 CPP). Elle se matérialise par **le dépôt de plainte**, ou le dépôt de plainte avec **constitution de partie civile**. L'exercice de l'action civile suppose, en plus de la commission d'une infraction, l'existence d'un **préjudice**. Cette action peut être exercée soit devant un tribunal civil, soit devant un **tribunal répressif**. Ce dernier est alors juge de l'action publique et de l'action civile. La rapidité, l'économie et l'efficacité sont autant d'avantages en faveur de l'exercice de l'action civile devant un tribunal répressif.

---

### Vocabulaire

**une infraction** an offence
**la peine** sentence
**une enquête** investigation
**la poursuite** prosecution, *decision to bring charges*
**une instruction** judicial investigation
**le procès** trial
**inquisitoire** inquisitorial
**accusatoire** adversarial
**contradictoire** *giving due hearing to the parties*
**la police administrative** crime prevention police
**la police judiciaire** criminal investigation police
**un officier de police judiciaire** senior police officer

**aux pouvoirs renforcés** with increased powers
**un agent de police judiciaire** police officer
**l'action publique** public prosecution
**le procureur de la République** public prosecutor
**l'action civile** civil action
**les dommages-intérêts** damages
**le dépôt de plainte** (formal) registering of a complaint
**la constitution de partie civile** *independent action for damages*
**le préjudice** loss, harm, damage
**le tribunal répressif** criminal court

---

# Exercice 1

## Comprehension questions

*Give a brief answer in the space provided.*

**1** Enumérez les trois étapes de la procédure pénale. _____

_____

_____

**2** Quelles sont les trois caractéristiques de la procédure inquisitoire?

_____

_____

_____

**3** Nommez les deux catégories principales de personnel de la police judiciaire.

_____

_____

**4** Que réclame le procureur de la République?

_____

**5** Que sollicite la partie civile? _____

# Points d'actualité

The article that follows arose from the case of Jean Tiberi, the mayor of Paris, who was being investigated under suspicion of having given his son a council flat at a low rent and having arranged for its renovation at the expense of the state.

### La Cour de cassation confirme la sanction contre Olivier Foll

La chambre criminelle de la Cour de cassation a rejeté, mercredi 26 février, le pourvoi formé par Olivier Foll, directeur central de la police judiciaire de Paris, contre l'arrêt de la chambre d'accusation de la Cour d'appel de Paris du 21 octobre 1996, qui lui interdit pendant six mois d'exercer les fonctions d'officier de police judiciaire (OPJ)....

Le 27 juin 1996, le juge Eric Halphen, chargé d'instruire les affaires de fausses factures des HLM de Paris, avait demandé l'assistance de trois OPJ pour procéder à une opération sans en préciser la nature. Une fois arrivé sur place, le magistrat informait les policiers qu'il s'agissait de perquisitionner au domicile de Jean Tiberi, député et maire de Paris, dans le cadre d'une information judiciaire concernant l'OPAC de la capitale. Les OPJ rendaient compte à M. Foll, qui leur donnait l'ordre de ne pas participer à la perquisition. Le 21 octobre, la chambre d'accusation, présidée par Martine Anzani, avait sanctionné cette attitude, en estimant notamment que M. Foll avait «failli à ses devoirs d'officier de police judiciaire» et que son comportement, qui ne reposait sur «aucune justification légale», avait «entravé le cours de la justice».

(Maurice Peyrot, *Le Monde*, 28 février 1997)

# PART II *L'enquête*

La police judiciaire a connaissance de la commission de l'infraction dès que la victime **porte plainte** ou lors d'une **dénonciation** par un tiers. Une fois informée, la police peut procéder soit à **une enquête de flagrance**, soit à **une enquête préliminaire**.

## L'enquête de flagrance

Seules les infractions flagrantes peuvent donner lieu à une enquête de flagrance. Aux termes de l'article 53 CPP, l'**infraction flagrante** englobe les crimes et les délits punissables d'un emprisonnement. Le caractère flagrant du crime ou du délit s'apprécie selon trois scénarios différents:

- celui qui se commet actuellement ou qui vient de se commettre;
- celui où la personne soupçonnée, par exemple, est trouvée en possession d'objets incriminants **dans un temps très voisin** de l'action;
- celui commis dans un domicile privé même si les faits ne sont pas récents.

Au cours d'une enquête de flagrance la police use de ses pouvoirs **coercitifs**. La P.J. doit informer immédiatement le procureur de la République (art. 54 CPP). Puis, un officier de police judiciaire doit **se dépêcher** sans délai **sur les lieux** et prendre toutes les mesures nécessaires pour **conserver les moyens de preuve**.

Parmi les pouvoirs mis à sa disposition, la P.J. peut procéder à:

- **la perquisition** coercitive (art. 56 CPP);
- **la saisie** de tout objet servant à la manifestation de la vérité (art. 54 et art. 56 CPP);
- **l'audition des témoins** (art. 62 CPP);
- **la garde à vue** (art. 63–65 CPP).

La garde à vue permet à la P.J. de détenir les personnes pour les interroger pendant une durée de principe de 24 heures. Ce délai peut être prolongé d'un nouveau délai de 24 heures. En tout état de cause, la personne gardée à vue a le droit de s'entretenir avec son avocat après 20 heures de garde à vue. L'**arrestation** est obligatoire lorsque des **indices graves** justifient **une mise en examen**.

## L'enquête préliminaire

Lorsque la P.J. mène une enquête préliminaire, elle bénéficie de pouvoirs moins importants. Pour les nécessités de l'enquête, les deux seules mesures coercitives mises à la disposition de la P.J. sont:

- l'audition des témoins (art. 78 CPP)
- la garde à vue des suspects (art. 77 CPP).

Depuis la loi du 4 janvier 1993, seule la personne soupçonnée peut être placée en garde à vue pendant l'enquête préliminaire. La durée et les conditions de la garde à vue sont les mêmes que pour l'enquête de flagrance.

Toute autre tentative de **porter atteinte à** la liberté individuelle d'une personne nécessite son consentement: il n'est permis aucune perquisition, **visite domiciliaire** et saisie effectuées au domicile privé d'une personne sans son consentement. Aucune arrestation n'est possible.

## La poursuite

L'enquête terminée, **le ministère public**, informé de la commission d'une infraction, décide ou non de **poursuivre**. Ce dernier dispose de différents moyens pour **déclencher l'action publique** selon la gravité de l'infraction:

- le ministère publique, lorsque l'instruction est obligatoire, saisit directement le juge d'instruction au moyen d'un **réquisitoire introductif** (art. 80 CPP);
- **le prévenu** est **assigné** à comparaître devant la juridiction de jugement par **citation directe**, **acte signifié par huissier**;
- l'**avertissement** requiert **la comparution volontaire** de la personne soupçonnée;
- **en matière correctionnelle**, il existe la procédure de **convocation par procès-verbal** devant le tribunal correctionnel;
- en cas de délits flagrants, il y a une procédure de saisine particulière dite **comparution immédiate**. Le procureur fait comparaître l'individu le jour même devant le tribunal correctionnel qui peut juger l'affaire tout de suite.

Lorsque le ministère public ne déclenche pas l'action publique, l'action civile portée devant un tribunal répressif la met d'office en mouvement.

## Vocabulaire

**porter plainte**  to report an offence
**la dénonciation**  informing
**une enquête de flagrance**  expedited investigation (with extended powers)
**une enquête préliminaire**  ordinary investigation (without special powers)
**une infraction flagrante**  *offence giving rise to expedited investigation*
**dans un temps très voisin**  within a very short space of time
**coercitif**  coercive
**se dépêcher sur les lieux**  to hasten to the scene of a crime
**conserver les moyens de preuve**  to safeguard the evidence
**la perquisition**  search of property
**la saisie**  seizure
**l'audition (f) des témoins**  hearing of witnesses
**la garde à vue**  police custody
**une arrestation**  arrest
**les indices graves**  (here) serious incriminating evidence
**une mise en examen**  *charging of the suspect*

**porter atteinte à**  to strike at
**la visite domiciliaire**  house search
**le ministère public**  n.t. (can sometimes be translated as: public prosecutor's office or the prosecution)
**poursuivre**  to bring charges
**déclencher l'action publique**  to institute criminal proceedings
**le réquisitoire introductif**  *application for judicial investigation*
**le prévenu**  defendant
**assigné**  summoned
**la citation directe**  summons
**un acte signifié par huissier**  official document served by the court bailiff
**un avertissement**  notice to attend
**la comparution volontaire**  voluntary court attendance
**en matière correctionnelle**  for major offences, *in cases involving major offences*
**la convocation par procès-verbal**  *formal order to attend*
**la comparution immédiate**  immediate court attendance

# Exercice 2

*Give the verb that relates to the following nouns:*

*e.g. convocation*                 ***convoquer***

**1**  la perquisition          _____

**2**  la saisie                _____

**3**  la comparution           _____

**4**  l'arrestation            _____

**5**  l'avertissement          _____

**6**  la poursuite             _____

**7**  la dénonciation          _____

**8**  la citation              _____

**9** le réquisitoire                    _____

**10** l'assignation                     _____

# PART III *L'instruction*

L'instruction est obligatoire en matière criminelle et facultative en matière correctionnelle. Il n'y a d'instruction en matière contraventionnelle que sur demande du procureur de la République.

Au cours de cette phase, **le juge d'instruction**, personne primordiale, joue un rôle prépondérant. Aux termes de l'article 81 CPP:

> «le juge d'instruction procède, conformément à la loi, à tous **les actes d'information** qu'il juge utiles à **la manifestation de la vérité.**»

Dans le but de découvrir la vérité, le juge d'instruction est investi de pouvoirs importants coercitifs. Il peut mettre en examen la personne à l'encontre de laquelle il existe des indices faisant présumer qu'elle a participé à l'infraction (art. 80 CPP).* Le juge d'instruction peut encore **se transporter sur les lieux** (art. 92 CPP), **faire une reconstitution de l'infraction**, entendre les témoins, procéder à des perquisitions et saisies et, au besoin, faire arrêter la personne mise en examen et même la mettre en **détention provisoire** (art. 144–148 CPP). C'est ainsi que le juge d'instruction complète et confirme l'enquête faite par la P.J.

L'instruction reste en principe secrète mais aujourd'hui, pour satisfaire une clientèle avide de sensations, les médias diffusent souvent des informations sur l'instruction. Jean-Michel Lambert, le juge d'instruction ("le petit juge") dans *l'affaire Villemin*, fait paraître au cours du procès un livre sur les circonstances mystérieuses du meurtre du petit Gregory Villemin, retrouvé mort le 16 octobre 1984 dans les eaux de la Vologne. Son assassin reste, à ce jour, toujours inconnu.

## L'ordonnance de clôture

Une fois les actes d'information accomplis, le juge d'instruction se prononce sur **les suites à donner** à l'affaire. A cet effet, il rend une ordonnance de clôture mettant fin à l'instruction. Cette ordonnance peut être soit une **décision de non-lieu** qui arrête l'action publique, soit une **décision de renvoi**. Celle-ci saisit la juridiction de jugement compétente, sauf en cas de crime où la chambre d'accusation examine préalablement le dossier avant de décider s'il y a lieu de saisir la Cour d'assises.

## La réforme de l'instruction

Le personnage du juge d'instruction suscite beaucoup d'intérêt en Grande-Bretagne ces derniers temps. En France, au contraire, certains proposent d'adopter des règles

* Depuis la loi du 4 janvier 1993 on parle de «la personne mise en examen» au lieu de "l'inculpé" dans un souci de renforcer la présomption d'innocence.

du droit anglo-saxon. La loi du 4 janvier 1993 a minimisé le rôle du juge d'instruction et augmenté les droits des personnes mises en examen. Pour accentuer encore les garanties en faveur de ces personnes, on avait envisagé de confier la décision de détention provisoire non plus au juge d'instruction mais à un autre juge ou à une **formation collégiale**. La loi du 24 août 1993 supprime cette dernière réforme.

From *Le Monde*, 10 juillet 1997.
By permission of Denis Pessin.

---

**Vocabulaire**

**le juge d'instruction** n.t., *judge in charge of the judicial investigation* (sometimes translated as: examining magistrate or investigating judge)

**les actes d'information** means of investigation

**la manifestation de la vérité** establishing the truth

**se transporter sur les lieux** to go to the scene of the crime

**faire une reconstitution de l'infraction** to carry out a reconstruction of the crime

**la détention provisoire** remand in custody

**une ordonnance de clôture** closing order

**les suites à donner** action to be taken

**la décision de non-lieu** *decision that there is no case to answer*

**la décision de renvoi** *decision to send the defendant for trial*

**la formation collégiale** *sitting of at least three judges*

---

# Exercice 3

*Match the following legal procedures with their correct definition below.*

ordonnance de clôture _____

décision de non-lieu _____

décision de renvoi _____

mise en examen _____

réquisitoire introductif _____

comparution immédiate _____

A la décision qui arrête l'action publique
B la procédure faisant comparaître, le jour même, le prévenu devant une juridiction de jugement
C la décision prise par le juge d'instruction dès qu'il a réuni suffisamment d'indices
D la décision qui met fin à l'instruction
E la décision du procureur de la République qui saisit le juge d'instruction
F la décision qui saisit la juridiction compétente

## Points d'actualité

An influential commission, the "commission Truche", set up by President Chirac, has recommended restrictions on the role of the juge d'instruction and restrictions on the press during the judicial investigation to protect the presumption of innocence.

### Le monde judiciaire juge trop timides les propositions de la commission Truche

Le Rapport de la commission de réflexion présidée par Pierre Truche, qui devait être remis au chef de l'Etat jeudi 10 juillet après-midi, a suscité des réactions plutôt réservées au sein du monde judiciaire. Le chapitre sur le parquet, qui était à la fois le plus sensible et le plus attendu, a été jugé timide, voire ambigu. En revanche, les propositions concernant le renforcement des droits de la défense et la limitation des pouvoirs du juge d'instruction ont été bien accueillies.

Le renforcement des droits de la défense – présence de l'avocat dès la première heure de garde à vue, enregistrement des interrogatoires – et la limitation des pouvoirs du juge d'instruction ont été perçus avec satisfaction par les avocats. «C'est une bonne idée car la garde à vue est tradition-nellement un lieu d'opacité, commente le président du Syndicat des avocats de France (SAF), Philippe Vouland. Nous approuvons également le fait de confier le placement en détention provisoire à une collégialité de trois juges qui ne comprend pas le juge d'instruction. Cela devrait mettre fin au chantage aux aveux». Beaucoup soulignent pourtant que cette réforme exigera des engage-ments financiers: dans les années 80, les réformes lancées par Robert Badinter et Albin Chalandon, qui instauraient toutes deux une collégialité, ont été abrogées avant leur entrée en vigueur, faute de moyens. . . .

Enfin, le chapitre sur la présomption d'innocence, qui interdit la divulga-tion des noms des personnes mises en cause dans les enquêtes et placées en garde à vue, et qui demande la créa-tion d'un observatoire des médias, est «liberticide», selon le Syndicat national des journalistes (CGT). «La commission Truche veut bâillonner la presse et lui interdire de parler des affaires.» Pour la CGT, l'observatoire des situations litigieuses sera un «véritable conseil de l'ordre des journalistes, de sinistre mémoire».

(Anne Chemin, *Le Monde*, 11 juillet 1997)

# PART IV *Le procès*

Les règles qui gouvernent en première instance **le déroulement du procès** sont généralement, exception faite pour la Cour d'assises, les mêmes pour toutes les juridictions de jugement pénales. La juridiction examine l'affaire selon le système accusatoire: contradictoire, oral et public. Dans des circonstances exceptionnelles (par exemple en cas de **viol**) l'audience se déroule **à huis clos**.

Les débats se déroulent de la manière suivante:

- **l'interrogatoire du prévenu**
- **l'administration des preuves** (par ex: lecture des **procès-verbaux**, audition des témoins et des experts)
- **la demande de la partie civile** (s'il y en a une) précisant le montant des dommages-intérêts réclamés
- **le réquisitoire** du ministère public
- la défense du prévenu.

A la fin des débats, le ou les juges délibèrent et rendent une **décision de relaxe** ou de **condamnation** pouvant aller jusqu'à la réclusion. **La peine de mort** a été abolie en 1981. Le prononcé d'une condamnation établit l'existence d'une infraction commise par le prévenu. **Le condamné** doit également verser des dommages-intérêts à la partie civile, victime d'un préjudice résultant directement de cette infraction.

La victime, le ministère public et le condamné peuvent faire appel de la décision du tribunal de police et du tribunal correctionnel. Par contre, le jugement d'une Cour d'assises ne peut à ce jour que faire l'objet d'un pourvoi en cassation. Ceci se justifie par l'idée que devant cette juridiction la justice est rendue directement par le peuple souverain.

## La Cour d'assises

Sa composition originale la distingue de toutes les juridictions de France. Elle réunit trois **magistrats de carrière** et neuf **jurés** formant le jury. Le jury de la Cour d'assises adopté en France sous l'influence de Voltaire, est d'origine anglaise. Les neufs jurés formant le jury sont choisis par **tirage au sort** sur une liste électorale. Les jurés **prêtent serment** au commencement du procès et promettent d'examiner et de décider selon leur conscience et leur «**intime conviction**». Les magistrats et les jurés **délibèrent** et votent ensemble sur les faits, le droit et la peine. Huit voix sont nécessaires pour toute décision défavorable à **l'accusé**, ce qui implique que cinq jurés au moins, d'où la majorité des jurés, **s'y soient ralliés**. Ce système évite que les magistrats professionnels n'**exercent un ascendant** sur les jurés **profanes**.

**Vocabulaire**

**le déroulement du procès**  trial proceedings
**le viol**  rape
**à huis clos**  in camera
**l'interrogatoire (m)**  cross-examination
**le prévenu**  defendant
**l'administration (f) des preuves**  presentation of evidence
**le procès-verbal**  statement
**la demande de la partie civile**  *application by the victim or his or her representative*
**le réquisitoire**  submission (by the prosecution)
**la décision de relaxe**  acquittal
**la décision de condamnation**  conviction and sentencing

**la peine de mort**  death penalty
**le condamné**  convicted person
**le magistrat de carrière**  professional judge
**le juré**  juror
**le tirage au sort**  random selection
**prêter serment**  to take an oath
**une intime conviction**  personal conviction
**délibérer**  to deliberate, to debate
**l'accusé (m)**  accused, defendant
**se rallier à**  (here) to be in agreement (with one another)
**exercer un ascendant**  to exert (undue) influence
**profane**  lay (adj)

## Exercice 4

*This is the oath to which jurors respond "Je le jure" as they are empanelled. Write the correct form of the words in brackets to complete the oath.*

«Vous _____ (jurer) et _____ (promettre) d'_____ (examiner) avec l'attention la plus _____ (scrupuleux) les charges qui seront _____ (porter) contre X, de ne _____ (trahir) ni les intérêts de l'accusé, ni _____ (celui) de la société qui l'_____ (accuser); de ne _____ (communiquer) avec personne jusqu'à votre déclaration; de n'_____ (écouter) ni la haine ou la méchanceté, ni la crainte ou l'affection; de vous _____ (décider) d'après les charges et les moyens de la défense, suivant votre conscience et votre intime conviction avec l'impartialité et la fermeté qui _____ (convenir) à un homme probe et libre et de _____ (conserver) le secret des délibérations même après la cessation de vos fonctions.»

## Exercice 5

*Use the following verbs to find two nouns with the same root.*

*e.g. jurer*        *le juré*        *le jury*

**1**  saisir      _____      _____

**2**  conseiller  _____      _____

**3**  accuser     _____      _____

**4** délibérer   _____   _____

**5** défendre   _____   _____

## Points d'actualité

The following editorial in *Le Monde* discusses the implications of recent proposals to reform French criminal procedure in the light of the trial of Jean-Marc Deperrois, sentenced in May 1997 to 20 years for the murder of 9-year-old Emilie Tanay in what became known as "l'affaire Josacine" (after the brand name of the cough mixture swallowed by the victim).

S'il fallait une nouvelle preuve de la nécessité de réformer la cour d'assises, le procès de la Josacine empoisonnée vient de l'apporter. Malgré les doutes apparus jour après jour lors de l'audience, malgré la fragilité des témoignages et les incertitudes des experts, Jean-Marc Deperrois a été reconnu coupable de l'empoisonnement, le 11 juin 1994, de la petite Emilie Tanay et condamné à vingt ans de réclusion criminelle. Au cours de son réquisitoire, l'avocat général n'a pourtant pas pu apporter la preuve de sa culpabilité: reconnaissant qu'il n'avait à sa disposition «ni aveu, ni témoins, ni preuves formelles», il a simplement fait état d'un «faisceau de présomptions graves, concordantes et accablantes».

Une fois de plus, le doute n'a donc pas bénéficié à l'accusé. Et une fois de plus, la sentence est sans appel. Au nom de la souveraineté populaire, les décisions des cours d'assises ne peuvent en effet être réexaminées sur le fond. Jean-Marc Deperrois n'a donc plus qu'un espoir: qu'un vice de procédure soit venu vicier les débats devant les jurés de Seine-Maritime, ce qui lui permettrait de nourrir un pourvoi en cassation.

Toute l'absurdité du système est là: un justiciable condamné pour un petit délit, voire une contravention, peut faire appel alors qu'un homme qui vient de se voir infliger une lourde peine par une cour d'assises en est réduit à chercher une anomalie juridique pour que son dossier soit rouvert.

Né avec la Révolution, le dogme de l'infaillibilité du juré populaire paraît aujourd'hui totalement désuet. Il est contraire à la Convention européenne des droits de l'homme de 1950, qui précise que «toute personne déclarée coupable d'une infraction pénale par un tribunal a le droit de faire examiner par une juridiction supérieure la déclaration de culpabilité ou la condamnation». Il justifie en outre la notion d'«intime conviction», qui ouvre la voie à d'éventuelles erreurs judiciaires: au nom de ce principe formalisé en 1791 par Merlin de Douai, les jurés ne sont pas tenus de motiver leurs décisions par une argumentation rationnelle. Au terme de leur délibéré, ils se contentent de répondre par oui ou par non à la question de la culpabilité. . . .

(*Le Monde*, 27 mai 1997)

## Dissertation

Selon vous, le juge d'instruction a-t-il trop de pouvoirs?

## Further reading

*Code de procédure pénale*, Paris: Dalloz.
Jean Larguier, *Procédure pénale*, Paris: Dalloz.
Jean Pradel, *Le juge d'instruction*, Paris: Dalloz.
Gaston Stefani, *Procédure pénale*, Paris: Dalloz.

# Unit 11

# LA PROCEDURE ADMINISTRATIVE

## **PART I** *Les caractères généraux de la procédure administrative*

La procédure administrative repose sur un système inquisitoire. Le Code des tribunaux administratifs et des cours administratives d'appel de 1989 constitue une source importante de la procédure administrative. Néanmoins, les principes fondamentaux régissant la procédure administrative sont, pour la plupart, définis par la jurisprudence. Le régime procédural est, tout comme le droit administratif, de nature jurisprudentielle.

En droit administratif deux types de contentieux s'opposent: **le contentieux de l'annulation** et **le contentieux de pleine juridiction**. Le contentieux de l'annulation vise à annuler les actes administratifs jugés illégaux; **le recours pour excès de pouvoir** en est le recours type. Le contentieux de pleine juridiction met en cause la responsabilité de l'Administration et traite des contrats administratifs.

Tout contentieux administratif nécessite la contestation d'une décision de l'Administration. En cas de contentieux de pleine juridiction (par exemple, un **préjudice** lié à l'exécution de travaux publics), il faut obtenir le prononcé d'une décision de l'Administration préalablement à la saisine du tribunal. En pratique, **le justiciable** adresse une réclamation à l'administration intéressée et si celle-ci refuse de l'**indemniser**, cette décision fait l'objet d'un **recours** devant le juge administratif. En droit administratif on utilise le terme «recours» plutôt que le terme «action».

A la différence de la procédure civile, la juridiction administrative ne peut être saisie que dans un délai, très bref, de deux mois à partir de la notification ou de la publication de la décision attaquée.

## La saisine des juridictions administratives

Une **requête introductive d'instance** (la requête), acte émanant du demandeur (**le requérant**), permet la saisine des juridictions administratives. La requête est déposée directement au **greffe** de la juridiction compétente. A ce stade débute l'instance.

La procédure administrative se distingue de la procédure civile. Le demandeur n'assigne pas son adversaire, comme il est de règle en procédure civile, puisque la requête est adressée directement au juge, qui a charge d'informer le défendeur.

La requête est accompagnée de la décision administrative contre laquelle le recours est formé. Le requérant ne se contente pas de soumettre les faits au juge, il doit également formuler une argumentation juridique. Tout comme en procédure civile, il faut avoir un intérêt légitime, personnel et direct pour agir.

Les services du greffe vont organiser **la comparution** des parties et notifier la requête au défendeur. En principe, chaque partie doit être représentée par un avocat; lorsque l'affaire est portée devant le Conseil d'Etat, les avocats au Conseil d'Etat et à la Cour de cassation assurent la représentation.

---

**Vocabulaire**

**le contentieux d'annulation**  action for annulment
**le contentieux de pleine juridiction**  action for damages
**le recours pour excès de pouvoir**  application for judicial review
**le préjudice**  loss, harm, damage
**le justiciable**  litigant

**indemniser**  to compensate
**le recours**  action
**la requête introductive d'instance**  application (commencing the action)
**le requérant**  applicant
**le greffe**  court office
**la comparution**  court attendance

---

# Exercice 1

*Below is a list of words that apply in civil procedure. Give the equivalent for each term in administrative procedure.*

**1**  l'assignation _____

**2**  l'action _____

**3**  la Cour de cassation _____

**4**  le demandeur _____

**5**  l'ordre judiciaire _____

## L'instruction

En principe, tout litige devant une juridiction administrative fait l'objet d'une instruction, sauf décision contraire du président du tribunal lorsque, au vu de la requête, la solution de l'affaire apparaît certaine.

Il est désigné un **juge rapporteur**, chargé de proposer les mesures d'instruction nécessaires à mettre l'affaire en état d'être jugée. La conduite de l'instruction inquisitoire échappe aux parties au profit du juge. Les parties sont invitées par le juge à produire leurs **mémoires** respectifs, exposant les moyens invoqués et présentant leurs conclusions. Le mémoire du défendeur répondant aux arguments invoqués dans la requête s'appelle un **mémoire en réplique**. Le requérant peut encore provoquer de secondes observations en défense dans un **mémoire en duplique**. Ces mémoires sont souvent accompagnés ou suivis de **pièces** destinées à justifier les moyens de fait et de droit invoqués par les parties à l'appui de leurs prétentions.

En plus de l'échange des mémoires, le juge, qui ne connaît en principe que du droit, peut, afin de fonder sa décision, ordonner des mesures ne se rapportant qu'à des questions de fait. Ces mesures d'instruction comprennent notamment la vérification de documents administratifs, la vérification d'écriture par un technicien, la visite des lieux et l'audition de témoins.

A la fin de l'instruction, le juge administratif prépare un rapport écrit. Cet exposé contient la présentation objective des éléments de fait et de droit ainsi que la solution de droit à donner au litige. Ce rapport écrit débouche sur un **projet de décision** souvent très proche de la décision finale. En droit administratif, l'ordonnance de clôture de l'instruction n'est pas obligatoire.

## L'audience

Le juge statue sur les mémoires écrits. Les avocats, ainsi que les parties lorsqu'on les y autorise, ne présentent que de brèves observations orales commentant les mémoires déposés, sans adjonction d'éléments nouveaux. On est loin des **plaidoiries** devant les juridictions de l'ordre judiciaire.

### Les conclusions du commissaire du gouvernement

La procédure administrative donne une fonction particulière au commissaire du gouvernement. Il est le dernier à exposer ses **conclusions** du point de vue du technicien du droit sur les affaires portées devant les juridictions administratives. Il donne son appréciation «en toute indépendance» de l'Administration, d'une manière impartiale suivant sa conscience (C.E. Sect. 10 juillet 1957, Gervaise). Le commissaire du gouvernement n'est ni un représentant de l'Administration, ni un juge, ni davantage un membre du parquet.

### L'élaboration et le prononcé du jugement

Selon le vocabulaire officiel, le Conseil d'Etat rend des «décisions» et les tribunaux administratifs des «jugements». Le jugement est prononcé à l'issue du délibéré des magistrats en formation collégiale. Dans sa décision, le juge ne saurait donner des **injonctions** à l'Administration. Qu'il s'agisse d'un recours pour excès de pouvoir, le juge ordonnera l'annulation de la décision attaquée; qu'il s'agisse d'un recours de pleine juridiction, le juge prononcera l'indemnisation du préjudice subi par le requérant.

---

**Vocabulaire**

**le juge rapporteur**  n.t. (sometimes translated as: reporting judge)
**le mémoire**  statement of case
**le mémoire en réplique**  *respondent's statement in reply*
**le mémoire en duplique**  *applicant's statement in reply*
**la pièce**  document

**le projet de décision**  draft decision
**la plaidoirie**  oral submission
**le commissaire du gouvernement**  n.t. (sometimes translated as: Government Commissioner)
**les conclusions**  (here) findings
**une injonction**  injunction

---

## Exercice 2

*Answer the following comprehension questions based on the texts in Parts I and II.*

**1**  La procédure administrative est-elle inquisitoire ou accusatoire?

**2**  Quel est le rôle du commissaire du gouvernement?

**3**  Comment débute la procédure administrative?

**4**  Quelle différence y a-t-il entre le contentieux d'annulation et le contentieux de pleine juridiction?

**5**  Expliquez en quoi les parties au procès administratif ont moins de liberté que les parties au procès civil.

## Dissertation

Compare and contrast the rules and practice of French administrative procedure and French civil procedure.

# Further reading

René Chapus, *Droit du contentieux administratif*, Paris: Montchrestien.
L. Neville Brown, *French administrative law*, Oxford: Oxford University Press.

# Unit **12**

# LE PERSONNEL JUDICIAIRE

Le «juge» est celui qui dit le droit; il est investi de la fonction de rendre des jugements. Le terme «magistrat» désigne celui dont la fonction n'est pas forcément de juger. Dans l'ordre administratif le mot «magistrat» est fort peu utilisé; on parle couramment des «juges».

## Magistrats de l'ordre judiciaire

On différencie **la magistrature assise** de **la magistrature debout**.

### La magistrature assise

Elle est également appelée **magistrature du siège**. Sa principale fonction est de juger. Sur proposition du **Conseil supérieur de la Magistrature** (C.S.M.), le président de la République nomme les magistrats importants (art. 64–65 de la Constitution).

### La magistrature debout

Elle est également appelée **magistrature du parquet**, **le parquet** ou **le ministère public**. Les magistrats du parquet présentent leurs conclusions aux magistrats du siège. On ne les appelle pas des juges parce qu'ils ne rendent pas de décisions. En matière pénale, ils représentent la société lorsqu'ils **exercent l'action publique**. En matière civile, leur rôle est moindre; ils n'interviennent que lorsque l'intérêt de la société l'exige. Quant à la composition du parquet, voir le tableau, page 99.

Le parquet présente la particularité d'être hiérarchisé. **Le Garde des Sceaux**, au sommet de la hiérarchie, définit la politique pénale que devra suivre la magistrature debout. Son rôle est très controversé en ce moment en raison de nombreuses affaires médiatiques. La commission Truche, chargée de réfléchir à une éventuelle réforme, a néanmoins rejeté l'idée d'une rupture complète du lien unissant le ministère public au Garde des Sceaux (voir Points d'actualité, pp. 99–100).

## Les juges constitutionnels et administratifs

Devant les tribunaux administratifs et le Conseil constitutionnel, il n'y a pas de distinction entre la magistrature du siège et le parquet. Les **conseillers**, les juges les plus élevés de l'ordre administratif, siègent au Conseil d'Etat. Concernant les juges du Conseil constitutionnel, voir Unit 7, Part II.

From *Le Monde*, 31 janvier 1997.
By permission of Jean Plantu.

---

**Vocabulaire**

**le juge**  judge
**le magistrat**  judge (not to be confused with the English "magistrate")
**la magistrature**  n.t. (can sometimes be translated as: judiciary)
**la magistrature assise/du siège**  judiciary, bench
**la magistrature debout/du parquet/ le parquet/le ministère public**  n.t.

(can sometimes be translated as: public prosecutor's office or the prosecution)
**le Conseil supérieur de la Magistrature**  n.t.
**exercer l'action publique**  to bring a prosecution
**le Garde des Sceaux**  Minister of Justice
**le conseiller**  appeal judge, senior judge

---

**La hiérarchie du parquet**

| le Garde des Sceaux | |
|---|---|
| **Juridiction** | **Magistrats du parquet** |
| Cour de cassation | Procureur général<br>Avocat général |
| Cour d'appel | Procureur général<br>Avocat général<br>Substitut général |
| Tribunal de grande instance | Procureur de la République<br>Premier substitut<br>Substitut |

## Exercice 1

*Tick in the appropriate box whether the following statements are true or false.*

| | | Vrai | Faux |
|---|---|---|---|
| 1 | Dans l'ordre administratif le mot «juge» est fort peu utilisé, on parle couramment des «magistrats». | | |
| 2 | La distinction entre magistrature assise et magistrature debout s'applique uniquement devant les tribunaux de l'ordre judiciaire. | | |
| 3 | Le ministère public a pour fonction de juger. | | |
| 4 | La magistrature assise est encore appelée ministère public. | | |
| 5 | La magistrature debout est aussi dénommée la magistrature du parquet. | | |

## Points d'actualité

### La commission Truche refuse l'indépendance totale du parquet

Au terme de six mois de travail, la commission de réflexion sur le statut du parquet et le respect de la présomption d'innocence s'apprête à remettre ses conclusions au président de la République. . . . En annonçant la création de cette commission, le 12 décembre 1996, le chef de l'Etat avait envisagé de mettre fin aux liens qui unissent le ministère public au pouvoir politique.

Composée d'intellectuels, mais aussi de magistrats et d'avocats, la commission

99

Truche estime aujourd'hui qu'il n'est pas souhaitable de s'engager dans la voie de l'indépendance totale du ministère public. Elle propose donc de maintenir les principes fondamentaux du parquet français: les substituts, les procureurs et les procureurs généraux restent dans une structure hiérarchique placée sous l'autorité du garde des sceaux; l'opportunité des poursuites, qui permet actuellement de classer environ 85% des procédures, demeure la règle; le ministre de la justice conserve le droit de définir la politique pénale de la nation. Il peut donc continuer à diffuser aux parquets des circulaires générales sur l'application de la loi.

## Dialogue sans instructions

Plus délicat était le problème des instructions du garde des sceaux dans les dossiers individuels. Dans les «affaires», cette prérogative a donné lieu à tant de dérives qu'en 1993, Michel Vauzelle, puis Pierre Méhaignerie, s'étaient résolus à inscrire dans le code de procédure pénale que ces instructions devaient être «écrites et versées au dossier». Cette obligation n'a finalement pas été respectée: les traditions d'interventionnisme de la chancellerie et la «culture de soumission» des procureurs, selon le mot d'Eric de Montgolfier, sont si profondément ancrées que le téléphone a tout simplement remplacé l'écrit.

Pour limiter la partialité de l'action publique, la commission Truche prône la suppression des instructions. Mais elle tempère immédiatement cette réforme en ajoutant que le ministère doit continuer à discuter des dossiers individuels avec les parquets. Le distinguo est subtil: le dialogue est autorisé mais ne doit pas se conclure par des instructions. Craignant que cette liberté toute relative donne lieu à des fantaisies ou à des abus de pouvoir, la commission propose d'instaurer un nouveau mécanisme: si un parquet classe un dossier ou refuse un réquisitoire supplétif, le justiciable – à moins qu'il puisse se porter partie civile – pourra déposer un recours auprès d'une commission comprenant des magistrats des trois plus hautes juridictions.

Le second volet du débat sur l'indépendance du parquet concerne les conditions de nomination. Actuellement, procureurs et substituts sont nommés sur proposition du garde des sceaux, avec un avis consultatif du Conseil supérieur de la magistrature (CSM). Les procureurs généraux sont, pour leur part, nommés en conseil des ministres, comme les préfets. Pour lever les soupçons de partialité, la commission propose que le CSM rende un avis conforme au sujet de toutes les propositions de nomination, qu'il s'agisse des substituts, des procureurs ou des procureurs généraux. Elle n'aligne pas pour autant les conditions de nomination des magistrats du parquet sur celles du siège: pour marquer la différence des traditions et des fonctions, la haute magistrature du parquet resterait nommée sur proposition du ministre alors que celle du siège est proposée par le CSM.

Pour la commission Truche, ces nouveaux pouvoirs doivent être compensés par une réforme en profondeur du Conseil supérieur de la magistrature.

(Anne Chemin, *Le Monde*, 10 juillet 1997)

# PART II *L'avocat*

Les avocats forment la catégorie des **auxiliaires de justice** la plus importante. Depuis la loi du 31 décembre 1990 réalisant la fusion des professions d'avocats et de **conseils juridiques**, leur nombre s'est accru, les conseils juridiques devenant des avocats. La profession d'avocat est une profession libérale et indépendante où l'avocat n'est soumis à aucune autorité, sauf à celle de son **barreau**. Ils travaillent de plus en plus en groupe dans des **cabinets d'avocats**.

## Fonctions de l'avocat

L'avocat a quatre fonctions: une fonction d'assistance, de **représentation**, de **conseil** et de rédaction d'actes.

### Assistance

Dans sa fonction d'assistance, l'avocat **plaide**. Plaider, rôle traditionnel de l'avocat, signifie qu'il expose verbalement à **la barre** pendant l'**audience** les prétentions et arguments de son client. Le monopole de **la plaidoirie** lui est reconnu, bien qu'il existe des dérogations à ce monopole: en matière civile, les parties peuvent se défendre elles-mêmes.

### Représentation

Depuis 1972, l'avocat a le pouvoir d'agir au nom et pour le compte de son client devant toutes les juridictions, sauf devant le Conseil d'Etat, la Cour de cassation et la Cour d'appel. Il représente son client en vertu de son **mandat *ad litem*** (par lequel aucune **procuration** écrite du **mandant** n'est exigée). **La postulation** consiste, pour l'avocat, à faire pour son client les **actes de procédure** que nécessitent le procès et le déroulement de l'instance.

### Conseil

En dehors de tout litige, il peut aussi conseiller son client par des consultations écrites ou orales dans toutes matières, bien que plus traditionnellement il conseille en droit fiscal, droit social et droit des sociétés.

### Rédaction d'actes

En dehors de la rédaction des actes de procédure, il peut rédiger des contrats (contrat de travail, contrat de **cession de brevet**, vente de fonds de commerce).

## L'organisation de la profession

### Les barreaux

La profession est organisée en barreaux, encore appelés **ordres**. Il en existe un auprès de chaque tribunal de grande instance, par exemple le barreau de Paris, le barreau de Lyon; soit 174 en métropole. Chaque barreau a ses propres organes: **le Conseil de l'Ordre** et **le bâtonnier**.

*Le Conseil de l'Ordre* Il existe dans chaque barreau un Conseil de l'Ordre dont les membres sont élus par tous les avocats. Cet organe statue notamment sur les demandes d'admission et exerce un pouvoir disciplinaire sur les membres du barreau.

*Le bâtonnier* Son nom vient du mot «bâton» dont se servait Saint-Nicolas, patron des avocats. Il est à la tête du Conseil de l'Ordre. Il est élu pour deux ans.

---

**Vocabulaire**

**un avocat** n.t. (nearest English equivalent: barrister)

**un auxiliaire de justice** officer of the court

**le conseil juridique** legal adviser, expert

**le barreau** n.t. (fulfils a similar role to the English "Bar")

**le cabinet d'avocats** law practice, chambers

**la représentation** representation, *acting as client's agent*

**le conseil** advice

**plaider** to plead

**la barre** (here) the court (referring to the bar at the front of the court)

**une audience** hearing

**la plaidoirie** plea, defence speech

**le mandat *ad litem*** automatic mandate

**la procuration** authorisation

**le mandant** mandator

**la postulation** *acting on behalf of a client*

**un acte de procédure** procedural documentation, pleadings (depending on the context)

**une cession de brevet** transfer of a patent

**un ordre** n.t. (fulfils a similar role to the English "Bar")

**le Conseil de l'Ordre** n.t. (nearest English equivalent: Bar Council)

**le bâtonnier** n.t. (fulfils a similar role to the "President of the Bar")

---

# Exercice 2

*Cross out the word which is the odd one out.*

1 postuler/plaider/juger
2 le substitut/le conseiller/le procureur général
3 le parquet/le ministère public/la magistrature assise
4 la magistrature assise/la magistrature du parquet/la magistrature du siège
5 le magistrat/le juge/l'avocat
6 assister/promulguer/représenter

## Exercice 3

*Find the noun that corresponds to the verb.*

| Verb | Noun |
|------|------|
| **1** plaider | _____ |
| **2** postuler | _____ |
| **3** conseiller | _____ |
| **4** assister | _____ |
| **5** représenter | _____ |
| **6** mandater | _____ |

## Points d'actualité

### Les avocats aussi

Parmi les premiers cabinets de droit des affaires en France, on ne recense que trois français. Ce sont les Anglo-Saxons qui tiennent les premières places. A cela plusieurs raisons: il y a six ans, la profession d'avocat a fusionné avec celle de juriste, ce qui a permis aux juristes anglais et américains de s'installer chez nous. Les géants de l'audit ont des filiales d'avocats. Les cabinets français ont souvent des puissances de feu plus réduites que les Américains, qui ont une longue et forte tradition du droit des affaires, et ils n'ont pas, comme eux, tissé des réseaux mondiaux.

(*L'Evènement du jeudi*, 2–8 janvier 1997)

## **PART III** *Les officiers ministériels*

Les officiers ministériels appartiennent à la catégorie des auxiliaires de justice. Contrairement aux avocats, il leur faut être titulaire d'une **charge**, ou plus précisément d'un **office** (qu'ils détiennent de leur prédécesseur) et d'un **titre** par nomination de l'Etat pour exercer leurs fonctions d'officiers ministériels. Au nombre des principaux officiers ministériels figurent:

### Le notaire

Le notaire est chargé de conférer l'authenticité aux **actes instrumentaires** et de conseiller les particuliers. Il travaille seul ou en groupe dans **une étude** notariale.

### Les actes authentiques

Le rôle traditionnel du notaire en France est de **dresser les actes authentiques**, encore appelés les «**actes notariés**». Ces actes comportent deux caractéristiques. D'une part, ils **ont force authentique**; leur contenu étant présumé authentique, ils ne peuvent être contestés que par une procédure spéciale: la procédure d'**inscription de faux**. D'autre part, ces actes **ont force exécutoire**: ils ne peuvent être exécutés sans l'autorisation du juge. En tant qu'officier public, le notaire a l'obligation de conserver l'original de l'acte notarié, appelé **la minute**.

### La fonction de conseil

Il conseille les particuliers, notamment en cas de succession et de vente de **biens immobiliers**.

## Les avoués près les Cours d'appel

Devant la Cour d'appel, l'avoué a les mêmes fonctions de représentation que l'avocat. En conséquence, devant la Cour d'appel, il est nécessaire de recourir aux services de l'avoué pour la représentation et de l'avocat pour l'assistance. Enfin, tout comme l'avocat, l'avoué jouit d'un mandat *ad litem*.

## Les avocats au Conseil d'Etat et à la Cour de cassation

Ces officiers ministériels, appelés parfois avocats aux Conseils, ont le monopole de représentation et d'assistance devant le Conseil d'Etat et la Cour de cassation. Pour être avocat au Conseil d'Etat et à la Cour de cassation, il faut avoir exercé la profession d'avocat pendant au moins trois ans et avoir subi avec succès un examen devant le Conseil de l'Ordre.

## Les huissiers de justice

Ils ont diverses fonctions. Au nombre de celles-ci:

- ils sont chargés de **signifier** les décisions de justice;
- ils peuvent procéder à l'**exécution forcée** des **actes exécutoires** (les jugements et les actes notariés);
- ils sont chargés du service intérieur des tribunaux;
- ils sont sollicités pour **dresser des constats**.

## Les greffiers

Les auxiliaires de justice ne sont pas des fonctionnaires. A titre d'exception, les greffiers bénéficient de ce statut (sauf les greffiers du tribunal de commerce). Ils travaillent au sein du **secrétariat-greffe** (le **greffe**) et sont chargés de l'administration des tribunaux. Concernant la formation du personnel judiciaire, voir Unit 14.

**Vocabulaire**

**un officier ministériel** n.t.
**la charge/un office** practice
**le titre** certificate of practice
**le notaire** n.t.
**un acte instrumentaire** instrument
**une étude** office
**dresser un acte authentique/un acte
 notarié** to draw up an authenticated
 and enforceable instrument/deed
**avoir force authentique** to be
 authenticated
**une inscription de faux** plea of forgery
**avoir force exécutoire** to be
 enforceable
**la minute** *original of deed or
 judgment*

**le bien immobilier** immovable property,
 real property
**un avoué près les Cours d'appel** n.t.
**un huissier de justice** (here) n.t.
 (sometimes translated as: court bailiff,
 usher)
**signifier** to serve notice of
**une exécution forcée** compulsory
 execution
**un acte exécutoire** enforceable
 instrument, deed
**dresser un constat** to draw up an
 affidavit
**le greffier** clerk of the court
**le secrétariat-greffe/le greffe** court
 office

## Exercice 4

*Complete the crossword.*

## Horizontalement

**1** Il préside le barreau. (9 lettres)

**3** L'huissier de _____. (7 lettres)

**6** Un _____ de justice a pour fonction de faciliter la marche de l'instance et la bonne administration de la justice. (10 lettres)

**8** C'est un _____ authentique. (4 lettres)

**9** Il exerce la fonction d'assistance devant la Cour d'appel. (5 lettres)

**10** Il est nécessaire pour exercer la fonction d'officier ministériel. (5 lettres)

**11** C'est une juridiction. (4 lettres)

**12** Il est dressé par huissier. (7 lettres)

## Verticalement

**1** C'est l'ordre des avocats. (7 lettres)

**2** Un acte authentique est aussi appelé un acte _____. (7 lettres)

**4** C'est le secrétariat du tribunal. (6 lettres)

**5** Un acte authentique est susceptible d'_____ forcée. (9 lettres)

**8** C'est une profession libérale et indépendante soumise à aucune autorité extérieure. (6 lettres)

# Exercice 5

*Fill in the gaps in the table below.*

| Personnel judiciaire | Fonction (assistance ou représentation) | Juridiction |
|---|---|---|
| avocat | _____ | Cour d'appel |
| _____ | représentation | Cour de cassation |
| avoué | _____ | Cour d'appel |
| _____ | assistance | tribunal de grande instance |
| _____ | assistance | Conseil d'Etat |

## Dissertation

Trouvez-vous la profession juridique en France archaïque? Justifiez votre réponse.

## Further reading

Roger Perrot, *Institutions Judiciaires*, Paris: Montchrestien.
Jean Vincent, *La Justice et ses institutions*, Paris: Dalloz.

# Unit **13**

# LES ETUDES DE DROIT

**PART I** *La dissertation juridique*

En France, les dissertations juridiques obéissent à une structure rigide bien définie: «**le plan**». Le plan comporte deux parties (les **grandes parties**), chacune d'elles subdivisée en **sous-parties**. Il est indispensable d'**intituler** chaque partie et sous-partie. Par contre, il n'est pas **d'usage** de donner un titre aux **sous-sous-parties**. Dans un souci de cohésion, il faut éviter les titres trop longs ou compliqués.

Voir le tableau ci-dessous.

**Le plan**

| | | | |
|---|---|---|---|
| | **Introduction** | | |
| la première partie: | I | | (intitulé) |
| une sous-partie | A | | (intitulé) |
| une sous-sous partie | | 1 | |
| une sous-sous partie | | 2 | |
| une sous-partie | B | | (intitulé) |
| une sous-sous partie | | 1 | |
| une sous-sous partie | | 2 | |
| la deuxième partie: | II | | (intitulé) |
| une sous-partie | A | | (intitulé) |
| une sous-sous partie | | 1 | |
| une sous-sous partie | | 2 | |
| une sous-partie | B | | (intitulé) |
| une sous-sous partie | | 1 | |
| une sous-sous partie | | 2 | |
| | **Conclusion** | | |

Le système obligatoire de lettres et de chiffres (I, A, etc.) est commun à tous les plans. Si l'on choisit de ne pas donner de titre aux sous-sous-parties, il suffit de sauter une ligne après chacune d'elles, sans les numéroter.

Les parties doivent être de même longueur pour être équilibrées. Chaque partie se termine par une phrase qui introduit la prochaine partie. Chaque sous-partie (A, B) présente les différents points que traitent en détail les sous-sous-parties (1, 2).

L'introduction définit et délimite le sujet, et annonce les **idées directrices**. Après l'intitulé de la première grande partie, quelques lignes introduisent ce dont il sera traité dans cette partie. Le même procédé s'applique pour la deuxième grande partie. Les sous-parties suivent un procédé similaire: après leur intitulé, quelques lignes introduisent ce dont il sera traité dans les sous-sous-parties. Les sous-sous-parties traitent en détail du sujet en plusieurs paragraphes. En conséquence, ce sont les parties les plus longues de la dissertation.

Les deux grandes parties sont indépendantes l'une de l'autre. Chaque partie ne traite que d'une idée. La première idée doit être bien différente de la deuxième. On ne peut répéter ce qui a déjà été écrit. Les grandes parties ont **une suite** logique, le raisonnement de la première partie servant à amener le point qui sera **abordé** dans la deuxième partie.

La conclusion est obligatoire. Elle a un caractère général et ne contient pas de nouvelles idées qui n'aient été abordées dans **le corps du devoir**. La conclusion est brève et résume les arguments clés du devoir.

---

**Vocabulaire**

**le plan**  plan
**la grande partie**  main section
**la sous-partie**  subsection
**intituler**  to give a heading to
**d'usage**  usual
**la sous-sous-partie**  sub-subsection

**une idée directrice**  main theme
**une suite**  sequence
**aborder**  to discuss, to tackle
**le corps du devoir**  main body of the essay

---

# Exemple d'une dissertation

## Thème: Les attributions du Conseil constitutionnel.

*Many of the points discussed in this essay can be found in Unit 7, Part II.*

## Introduction

Depuis 1789, un des grands principes républicains était la souveraineté de la loi. Cela signifie que la loi, expression de la volonté générale, ne peut être critiquée par aucun autre organe politique ou **juridictionnel**, à l'exception du Parlement lui-même.

Cette doctrine avait conduit à l'absence de tout contrôle de constitutionnalité des lois, si l'on excepte l'ancien contrôle purement formel du Sénat et l'échec du **Comité constitutionnel** de la IVe République, qui n'avait pour tout pouvoir que la possibilité d'affirmer qu'une loi nouvellement votée rendait nécessaire une révision constitutionnelle.

Les auteurs de la Constitution du 4 octobre 1958, en créant le Conseil constitutionnel, ne souhaitaient pas, à l'époque, assurer un contrôle de constitutionnalité efficace, mais plutôt **confier au** Conseil une sorte d'**arbitrage juridique**, destiné surtout à protéger les compétences gouvernementales. De plus, les **constituants** de 1958 confièrent à cette institution des missions variées ayant pour seul point commun de faire de lui le garant du fonctionnement démocratique du régime. Il est donc utile de distinguer deux grandes fonctions du Conseil constitutionnel: celle de juge de la constitutionnalité des lois et celle de **garant** du **jeu démocratique**.

## I – Le Conseil constitutionnel juge de la constitutionnalité des lois

Ce rôle du Conseil était seulement **ébauché** dans les textes. Il s'agit d'attributions qui se sont sensiblement élargies par la pratique constitutionnelle.

A – *Les dispositions de la loi fondamentale font du Conseil le protecteur des compétences gouvernementales:*

Grâce aux articles 41 (**procédure d'irrecevabilité**), 61 (saisine du Conseil avant la promulgation d'une loi), 37 al. 2 (saisine à tout moment par le Premier ministre d'un acte de forme législative **postérieur au** 4 octobre 1958), le Conseil doit essentiellement veiller au respect de **la répartition** des **domaines de la loi** et **du règlement**. Il doit constater le caractère réglementaire de tout texte voté par le Parlement en dehors de l'article 34.

Ce caractère d'auxiliaire du gouvernement, voulu par les textes, était accentué par **l'aménagement** restrictif **du droit de saisine**. Initialement, celui-ci ne pouvait être exercé que par le chef de l'Etat, le Premier ministre et les Présidents des Assemblées.

B – *La pratique constitutionnelle consacre progressivement l'apparition d'un authentique contrôle de constitutionnalité des lois:*

Dès les premières années, la jurisprudence du Conseil est plus équilibrée; en particulier, les décisions de **la haute juridiction** donnent une interprétation souvent libérale du contenu du domaine de la loi.

Cependant, c'est par sa décision du 16 juillet 1971 que, pour la première fois, le Conseil constitutionnel exerce un contrôle général de constitutionnalité en annulant les **dispositions législatives** restrictives en matière de **droit d'association**. Cette nouvelle jurisprudence, confirmée par plusieurs dizaines de décisions annuelles, est intéressante, surtout parce que le Conseil assure le contrôle de la conformité des lois non seulement vis-à-vis de la Constitution, mais encore vis-à-vis du préambule et, indirectement (le préambule de 1958 y faisant référence), à la Déclaration des Droits de 1789 et au préambule de 1946. Tous ces textes fondamentaux étaient intégrés dans ce qui est nommé: le bloc de constitutionnalité.

Ce contrôle général de constitutionnalité se trouve enfin facilité par la révision constitutionnelle de 1974 (art. 61 nouveau) qui permet **désormais** la saisine du Conseil par soixante parlementaires – députés ou sénateurs – ouvrant ainsi à l'opposition parlementaire la possibilité de contester la conformité d'une loi à la Constitution.

## II – Le Conseil constitutionnel garant du jeu democratique

La Constitution du 4 octobre 1958 investit le Conseil constitutionnel de deux autres séries d'attributions qui ont pour point commun de garantir le fonctionnement démocratique des institutions. Parmi ces prérogatives, certaines sont de type juridictionnel, d'autres seulement **consultatives**.

A – *Le Conseil constitutionnel, juge des* **contentieux électoraux:**

Avant 1958, les **contestations surgies** à l'occasion des élections législatives étaient **tranchées** par les Assemblées parlementaires elles-mêmes. Chaque assemblée procédait à la «vérification des pouvoirs» de ses membres et pouvait éventuellement «invalider» l'élection d'un député ou d'un sénateur ce qui, en pratique, n'était pas sans inconvénient. Dans la Constitution actuelle, l'article 58 confie au Conseil le soin de trancher tous les litiges nés **lors des scrutins** pour l'élection des membres de l'Assemblée nationale ou du Sénat. Cette solution semble constituer un progrès car, sous les III$^e$ et IV$^e$ Républiques, les assemblées étaient, en la matière, juges et parties.

Lorsque le Conseil constitutionnel est **juge électoral**, il peut soit **procéder à la rectification des** résultats, soit annuler le scrutin contesté, provoquant ainsi **une élection partielle**.

De plus, le Conseil constitutionnel est juge de la régularité des opérations de référendum (art. 59); il décompte les résultats définitifs et en assure la proclamation. Il s'est cependant déclaré incompétent en matière d'élections présidentielles. Ici c'est lui qui arrête la liste des candidats remplissant les conditions légales, qui juge de toutes les **réclamations** relatives au **déroulement du scrutin** et, enfin, qui proclame le candidat élu.

Les neuf sages du Conseil ont une prérogative tout à fait particulière, mais **de portée limitée**: celle de constater l'incapacité du chef de l'Etat à poursuivre ses fonctions. Cette décision ne peut cependant être prise qu'à la demande du gouvernement, lequel reste donc seul juge de **l'opportunité** de la procédure, situation qui, bien entendu, rend assez peu probable la saisine du Conseil en ce domaine.

B – *La compétence consultative du Conseil:*

C'est dans le cadre des pouvoirs exceptionnels de l'article 16 que le Conseil constitutionnel doit être consulté à deux moments: son avis doit être demandé, aussi bien avant de prendre **la décision de mise en vigueur** de l'article 16 qu'avant chaque décision présidentielle prise en application de cette disposition constitutionnelle.

Il s'agit d'avis simples, c'est-à-dire que le chef de l'Etat n'est pas **lié par** leur contenu et pourrait, **le cas échéant**, **passer outre**. Pourtant, les avis du

Conseil doivent être, en l'espèce, motivés et publiés au Journal officiel. Si une telle procédure peut avoir l'intérêt d'assurer une certaine information de l'opinion, elle ne constitue cependant qu'une limite bien tenue du pouvoir présidentiel en période d'application de l'article 16.

## Conclusion

Le Conseil constitutionnel, créé comme organe régulateur entre Parlement et gouvernement, a su s'affirmer par sa jurisprudence comme un véritable juge de la constitutionnalité des lois. Toutefois, son audace relative est limitée par l'impossibilité où il se trouve de constater à sa propre initiative l'irrégularité d'une loi, **la possibilité d'auto-saisine** lui ayant été refusée lors de la révision constitutionnelle de 1974. Bien que la minorité parlementaire puisse désormais **déclencher** le contrôle de constitutionnalité, le citoyen se trouve par ailleurs toujours écarté de ce mécanisme. On se trouve donc à mi-chemin entre un simple organe régulateur voulu par les constituants, et une véritable cour constitutionnelle, comme celles qui existent en République fédérale d'Allemagne et en Italie notamment. On se souviendra aussi que le président de la République avait souhaité pour l'avenir que **par la voie d'**une révision constitutionnelle soit instituée la saisine directe du Conseil constitutionnel par les citoyens, saisine **par voie d'action** ou **par voie d'exception d'inconstitutionnalité.** Si ce projet aboutissait (mais il comporte bien des difficultés techniques) le Conseil pourrait achever son évolution et devenir une vraie cour constitutionnelle. Nous savons que ce projet de révision constitutionnelle est actuellement bloqué par le désaccord de contenu entre l'Assemblée nationale et le Sénat. La haute Assemblée en l'espèce, pour des raisons techniques et politiques, a exercé une fois encore son quasi droit de véto en matière de révision constitutionnelle.

(Extract adapted from Bernard Brachet, *Droit Constitutionnel et Administratif. Exercices Pratiques*, pp. 128–33, Paris: Montchrestien)

---

**Vocabulaire**

**juridictionnel**  judicial
**Comité constitutionnel**  n.t.
**confier à**  to entrust with
**un arbitrage juridique**  judicial arbitration
**le constituant**  constitutional legislator
**le garant**  guarantor, guardian
**le jeu démocratique**  democratic process
**ébaucher**  to outline, to sketch
**la procédure d'irrecevabilité**  *procedure opposing legislation outside the remit of Parliament*
**postérieur à**  after
**la répartition**  separation

**le domaine de la loi**  legislative domain, *field of parliamentary legislation*
**le domaine du règlement**  regulatory domain, *field of government regulations*
**un aménagement (de)**  arrangements (for)
**le droit de saisine**  right to make an application
**la haute juridiction**  (here) constitutional court
**la disposition législative**  legislative provision
**le droit d'association**  right of association

| | |
|---|---|
| **désormais** henceforth, from now on | **de portée limitée** of limited scope |
| **consultatif** advisory | **l'opportunité (f)** (here) appropriateness |
| **le contentieux électoral** *litigation arising from the electoral process* | **la décision de mise en vigueur** decision to put into effect |
| **la contestation** dispute, objection | **lié par** bound by |
| **surgi** arising | **le cas échéant** if needed, if considered necessary, where necessary |
| **trancher** to resolve | |
| **lors des scrutins** at the time of the elections | **passer outre** to ignore |
| | **la possibilité d'auto-saisine** self-empowerment |
| **juge électoral** judge of election disputes | **déclencher** to set in motion |
| **procéder à la rectification de** to correct | **par la voie de** by means of |
| **une élection partielle** by-election | **par voie d'action** by means of legal action |
| **la réclamation** complaint | **par voie d'exception d'inconstitutionnalité** by means of raising a defence of unconstitutionality |
| **le déroulement du scrutin** conduct of the election | |

## Exercice 1

*Write the following essay in French, following the structure of the French "plan".*

«Commentez le rôle prépondérant du chef de l'Etat sous la Vᵉ République.»

# PART II  *Le commentaire d'arrêt et la fiche d'arrêt*

## Le commentaire d'arrêt

Le commentaire d'arrêt consiste en une analyse détaillée d'une décision de justice. Il faut effectuer un travail de lecture approfondi de l'arrêt pour bien comprendre son contenu et présenter un inventaire minutieux et méthodique de tous les aspects de la décision. Un tel exercice est souvent donné comme sujet d'examen et est étudié en **travaux dirigés** (TD). En général, les étudiants commentent **un arrêt de principe** récent dont la solution est toujours **en vigueur**.

Le commentaire d'arrêt suit le même plan que celui de la dissertation juridique, malgré quelques règles spécifiques.

## L'introduction

Il y a deux sortes d'introduction, l'une brève, l'autre plus détaillée. Une introduction brève se contente d'indiquer la nature de la juridiction qui a rendu la décision, de préciser sa date et d'exposer la question juridique traitée. L'introduction détaillée reprend les mêmes éléments d'information, et en **recense** d'autres: les faits du litige et la procédure. Seuls les faits jugés utiles à la compréhension du problème de droit doivent être retenus. Si l'on opte pour l'introduction brève, les faits du litige et la procédure se retrouvent dans la première partie du commentaire. L'introduction se termine par le problème de droit posé par l'arrêt. Il s'agit de formuler de manière abstraite et théorique la question de droit à laquelle répond l'arrêt.

### Le corps du devoir

La règle sacro-sainte du plan biparti de la dissertation juridique est aussi applicable au commentaire d'arrêt. Cependant on admet un plan en trois parties. Le travail de rédaction du juriste doit être rattaché et lié aux seuls éléments **dégagés** dans l'analyse de l'arrêt.

### La conclusion

La conclusion n'est pas obligatoire pour le commentaire d'arrêt.

## La fiche d'arrêt

L'étudiant rédige une fiche de jurisprudence, qui consiste en une analyse courte et précise d'un arrêt: énumération des faits des parties, énoncé du ou des problèmes de droit et du sens de la décision. Il s'agit, en somme, d'un examen succinct de la décision du juge. Il est souvent demandé à l'étudiant de préparer une fiche d'arrêt pour les séances de travaux dirigés.

---

**Vocabulaire**

**le commentaire d'arrêt** commentary on a judgment
**les travaux dirigés** tutorial
**un arrêt de principe** *case stating a legal principle*

**en vigueur** in force
**recenser** (here) to summarise
**dégager** to extract
**la fiche d'arrêt** *case summary*

---

# Exemple d'un commentaire d'arrêt

## La décision du Conseil constitutionnel no. 82–143 du 30 juillet 1982

LE CONSEIL CONSTITUTIONNEL,

Saisi le 21 juillet 1982, par MM Jean-Claude Gaudin et autres . . . , députés, dans les conditions prévues à l'article 61, alinéa 2, de la Constitution, du texte de la loi sur les prix et les revenus adoptée par le Parlement et notamment de ses articles 1er, 3 et 4;

Vu la Constitution;

Vu l'ordonnance du 7 novembre 1958 portant loi organique sur le Conseil constitutionnel, notamment les articles figurant au chapitre II de ladite ordonnance;

...

SUR L'ARTICLE 3 DE LA LOI:

...

*En ce qui concerne le paragraphe V:*
9. Considérant qu'aux termes de ce paragraphe: «Les sociétés qui contreviennent aux dispositions du présent article sont passibles d'une amende d'un montant de 20 à 50F par titre»; que, selon les députés auteurs de la saisine, cette disposition encourt la double critique de méconnaître le principe de droit pénal d'après lequel seules les personnes physiques seraient passibles de sanctions pénales et d'édicter une règle qui ne relève pas du domaine de la loi en instituant une amende contraventionnelle;

10. Considérant, sur le premier point, qu'il n'existe aucun principe de valeur constitutionnelle s'opposant à ce qu'une amende puisse être infligée à une personne morale;

11. Considérant, sur le second point, que, si les articles 34 et 37, al.1er, de la Constitution établissent une séparation entre le domaine de la loi et celui du règlement, la portée de ces dispositions doit être appréciée en tenant compte de celles des articles 37, al.2 et 41; que la procédure de l'article 41 permet au Gouvernement de s'opposer au cours de la procédure parlementaire et par la voie d'une irrecevabilité à l'insertion d'une disposition réglementaire dans une loi, tandis que celle de l'article 37, al.2, a pour effet, après la promulgation de la loi et par la voie d'un déclassement, de restituer l'exercice de son pouvoir réglementaire au Gouvernement et de donner à celui-ci le droit de modifier une telle disposition par *décret*: que l'une et l'autre de ces procédures ont un caractère facultatif; qu'il apparaît ainsi que, par les articles 34 et 37, al.1er, la Constitution n'a pas entendu frapper d'inconstitutionnalité une disposition de nature réglementaire contenue dans une loi, mais a voulu, à côté du domaine réservé à la loi, reconnaître à l'autorité réglementaire un domaine propre et conférer au Gouvernement, par la mise en oeuvre des procédures spécifiques des articles 37, al.2 et 41, le pouvoir d'en assurer la protection contre d'éventuels empiétements de la loi; que, dans ces conditions, les députés auteurs de la saisine ne sauraient se prévaloir de ce que le législateur est intervenu dans le domaine réglementaire pour soutenir que la disposition critiquée serait contraire à la Constitution;

...

Décide:

ARTICLE PREMIER. – La loi sur les prix et les revenus est déclarée conforme à la Constitution.

## Le commentaire d'arrêt de la décision

## Introduction

La décision du 30 juillet 1982 a été rendue sur requête adressée au Conseil constitutionnel, au titre de l'article 61.2 de la Constitution, par soixante parlementaires arguant de l'inconstitutionnalité de la loi dite «sur les prix et les revenus» au motif qu'elle comportait des dispositions instituant une amende contraventionnelle et comme telles ne relevant pas du domaine de la loi.

Pour bien comprendre cet argument, il faut se référer à l'article 34 de la Constitution et à une décision antérieure du Conseil constitutionnel, rendue le 28 novembre 1973. En effet, l'article 34, qui énumère – d'ailleurs de manière non exhaustive – les matières législatives, visant les crimes et délits ainsi que les peines qui leur sont applicables mais non les contraventions, non plus que les peines contraventionnelles, on a pensé a contrario que celles-ci ne relevaient pas du domaine de la loi. Par la suite, le Conseil constitutionnel a eu l'occasion de nuancer et préciser cette position: dans sa décision précitée, s'appuyant à la fois sur l'article 34, sur l'article 66 et sur les dispositions du Préambule, il réintègre dans le domaine législatif les contraventions assorties de peines privatives de liberté (emprisonnement de courte durée), ne laissant subsister dans le domaine réglementaire que les contraventions punies d'amende.

Si on fait application de ces données aux dispositions législatives attaquées instituant une amende contraventionnelle, on constate que, comme l'indiquent les auteurs de la saisine, elles ne relevaient pas de la compétence du législateur mais de celle de l'autorité réglementaire. A cet égard, pas de contestation possible.

On conçoit dès lors l'argumentation présentée à l'appui du recours. Ses auteurs font valoir, d'une part, que le partage des matières législatives et réglementaires est inscrit dans la Constitution, qu'il a donc valeur impérative et qu'il s'impose à toutes les autorités établies et notamment au Parlement et au gouvernement: d'autre part, que la méconnaissance de ce partage constitue un cas d'inconstitutionnalité qu'il appartient au Conseil constitutionnel de sanctionner dans les conditions fixées par l'article 61.

Sur ces deux points le Conseil constitutionnel apporte par sa décision du 30 juillet 1982 une réponse négative fort nette. Il refuse d'attribuer valeur impérative au partage des compétences législatives et réglementaires, il refuse de voir dans les manquements à ce partage des cas d'inconstitutionnalité. Nous reprendrons la même démarche en donnant les explications nécessaires.

## I  Le partage des compétences législatives et réglementaires n'a pas valeur impérative

Dans sa décision, le Conseil constitutionnel s'appuie sur une étude des recours qui permettent de faire respecter le partage. Il peut ainsi montrer que celui-ci est exclusivement favorable au gouvernement et que les recours qui s'y rapportent ont un caractère spécifique.

### A. Un partage favorable au gouvernement

Il est doublement favorable au gouvernement en ce sens que d'une part, les recours prévus par les articles 41 et 37.2 relèvent de sa seule initiative et que d'autre part, il garde toute liberté d'en faire ou non usage.

La décision retient d'abord que l'article 41 permet au gouvernement d'opposer une irrecevabilité aux propositions et aux amendements qui empiéteraient sur le domaine réglementaire et, s'il y a lieu, de saisir le Conseil, ensuite que l'article 37.2 lui permet de rétablir dans le domaine réglementaire, sur avis conforme du Conseil et par décret, les dispositions figurant dans un texte en forme législative qui ne relèveraient pas du domaine de la loi. Il est vrai que l'on pourrait faire état, à l'encontre de l'exclusivité des prérogatives gouvernementales, des dispositions de l'article 41.2 selon lesquelles les Présidents des Assemblées parlementaires peuvent, eux aussi, prendre l'initiative de saisir le Conseil. La décision est muette à ce sujet. Mais il faut convenir que cette possibilité demeure partielle et pour tout dire seconde dans la mesure où il a fallu qu'auparavant une irrecevabilité soit opposée par le gouvernement. Celui-ci est donc bien le seul élément véritablement moteur en la matière.

Il dispose en outre de la faculté d'apprécier s'il doit ou non saisir le Conseil. La décision l'indique très clairement lorsqu'il souligne «le caractère facultatif» des procédures instituées par les articles 41 et 37.2. On peut donc affirmer que les dispositions constitutionnelles relatives au partage des compétences législatives et réglementaires n'ont aucune valeur impérative à l'égard du gouvernement, qui en est le seul destinataire véritable. Il les fait jouer s'il veut protéger son domaine réglementaire: c'est pour cela qu'elles ont été inscrites dans la Constitution, comme la décision le signale. Il peut aussi s'abstenir et laisser le Parlement empiéter sur son domaine. Il peut encore insérer lui-même dans un de ses projets de loi des dispositions à caractère réglementaire et c'est le cas en l'espèce. Il peut tout faire parce qu'il a seul l'initiative de la mise en oeuvre des procédures de contrôle.

### B. Des procédures à caractère spécifique

Dans ces conditions, il apparaît d'une part, que les dispositions des articles 34 et 37.1 sont d'une «portée» particulière, d'autre part, que les procédures prévues par les articles 41 et 37.2 sont «spécifiques».

Le Conseil a raison de lier la «portée» des dispositions des articles 34 et 37.1 aux procédures destinées à en assurer le respect. Dans la mesure où ces procédures ne peuvent être mises en oeuvre que sur l'initiative du gouvernement, l'application des articles 34 et 37.1 devient incertaine, subordonnée à la volonté plus ou moins changeante de ce dernier. Ces dispositions ne sont ni impératives ni simplement indicatives, elles sont conditionnelles puisque tributaires de la position adoptée dans chaque cas d'espèce par le gouvernement.

Les recours prévus par les articles 41 et 37.2 sont «spécifiques». En effet, et c'est là un point capital, il ne s'agit pas d'actions en contrôle de la constitutionnalité des lois. Il ne peut s'agir que d'actions à caractère déclaratif, qui permettent sans doute au Conseil de dire le droit mais sans contrôle de la constitutionnalité des lois.

## II La méconnaissance du partage des compétences ne constitue pas une inconstitutionnalité

Cette proposition est dans la suite directe et la logique de la précédente. La violation de dispositions à «portée» limitée (parce que conditionnelles) suscitant éventuellement des actions «spécifiques» (parce que déclaratives) ne constitue pas un cas d'inconstitutionnalité et ne peut donc servir de support à un recours présenté en application de l'article 61. De ce fait, les parlementaires se trouvent désarmés à l'égard des initiatives du gouvernement.

*A. L'absence d'inconstitutionnalité rend l'article 61 inopérant*

La décision insiste très fortement sur le fait que l'insertion d'une disposition réglementaire dans un texte de loi ne le frappe nullement d'inconstitution-nalité. C'est sans doute l'acquis principal, sous cette forme, de la décision du 30 juillet 1982. L'exclusion des recours prévus par l'article 61 en découle tout naturellement.

A la vérité, les auteurs de la saisine auraient peut-être pu le prévoir. Certes, le Conseil ne s'était jamais prononcé de manière aussi expresse. Il n'en distinguait pas moins les décisions concernant la conformité à la Constitution (art. 61) de celles rendues sur examen de textes de forme législative (art. 37.2) ou sur examen de fins de non-recevoir (art. 41), comme en témoignent les recueils de ses décisions. Toujours est-il que la décision du 30 juillet 1982 fait apparaître avec une particulière netteté la différence de nature, tout à fait fondamentale, relevée par le Conseil constitutionnel entre les deux catégories d'erreurs dont il a à connaître à l'occasion des lois qui lui sont déférées: d'une part, les erreurs de fond, qui tiennent à une contradiction entre le contenu de la loi et celui de la Constitution et qui sont par elles-mêmes définitives, du moins jusqu'à ce que le Conseil constate l'erreur et déclare la loi inconstitutionnelle: d'autre part, les erreurs de classement, qui tiennent à ce qu'une disposition n'est pas à sa place, à ce qu'elle figure dans une loi alors qu'elle devrait figurer dans un règlement, des erreurs que le Conseil se borne à constater, sans plus, et qui sont facilement et perpétuellement redressables, si le gouvernement le veut, par application de l'article 37.2. Il est bien vrai qu'elles n'impliquent aucune inconstitutionnalité et qu'elles demeurent à la surface des textes. C'est sans doute pourquoi la décision du 30 juillet 1982 les sépare des précédentes par une sorte de cloison étanche.

Il va de soi, dès lors, que ces erreurs de classement ne peuvent justifier la mise en oeuvre du recours prévu par l'article 61, et réservé au contrôle de constitutionnalité proprement dit.

118

*B. Les parlementaires ne disposent d'aucune voie de recours*

L'impossibilité de recourir à l'article 61, faute d'inconstitutionnalité à invoquer, s'applique à la fois au Premier ministre et aux parlementaires. Elle est sans importance pour le chef du gouvernement, qui dispose des procédures «spécifiques» des articles 41 et 37.2. En revanche, elle prive les parlementaires de toute possibilité de saisir le Conseil constitutionnel.

A cet égard, on sera peut-être surpris que des parlementaires souhaitent contester, à l'encontre, semble-t-il, des intérêts de l'assemblée à laquelle ils appartiennent, l'extension abusive de compétence dont elle bénéficie. Un tel souhait paraît pourtant légitime d'une part, dans l'intérêt du droit au sens le plus large, d'autre part, dans l'optique des parlementaires de l'opposition qui devraient pouvoir exposer leurs arguments. En tout cas, il ne sera pas suivi d'effet.

## Conclusion

La construction jurisprudentielle, qui paraît parfaitement cohérente, n'en laisse pas moins un certain sentiment d'insatisfaction en raison du déséquilibre trop prononcé entre les possibilités du gouvernement et celles des parlementaires. Elle a eu aussi un effet important sur la définition généralement retenue de la loi.

La décision du 30 juillet 1982 n'appelle pas de réserve en elle-même car on ne peut guère trouver de faille dans l'enchaînement des arguments. En effet, dès lors que l'on démontre, fût-ce par le détour des procédures des articles 41 et 37.2, que les dispositions relatives au partage des compétences législatives et réglementaires ne sont pas impératives, que leur portée est limitée, qu'elles ne peuvent donner lieu qu'à des actions déclaratives, sans annulation envisageable, il s'ensuit logiquement que leur violation ne s'analyse pas en une inconstitutionnalité et que tout recours à l'article 61 est exclu. Dès lors les parlementaires qui empruntent cette voie ne peuvent qu'être déboutés.

Le contrôle du partage des compétences est, en totalité, entre les mains du gouvernement. Certes la Constitution l'a voulu ainsi mais on peut estimer que ce n'est pas mieux pour autant.

En réalité, il semble que les constituants aient considéré globalement l'exécutif et le législatif et que, attribuant un certain nombre de compétences au second, ils aient voulu assurer au premier, de manière exclusive, les moyens de protéger ce que la décision du 30 juillet 1982 appelle son «domaine propre». Mais c'était oublier que, dans les Etats libéraux contemporains, la véritable confrontation n'est pas entre l'exécutif et le législatif mais entre le gouvernement soutenu par la majorité d'un côté, l'opposition de l'autre. Sans attacher à cette lacune plus d'importance qu'elle n'en mérite, peut-être aurait-il été souhaitable que les parlementaires de l'opposition soient dotés, eux aussi, des moyens de faire constater les violations du partage des compétences.

Avant la décision du 30 juillet 1982, on donnait de la loi une définition faisant simultanément appel à un critère organique et à un critère matériel: la loi était l'acte voté par le Parlement et portant sur l'une des matières législatives énumérées par l'article 34 ou considérées comme telle par le texte constitutionnel interprété par la jurisprudence du Conseil. Mais à partir du moment où il apparaît que l'élément matériel n'existe que par la volonté du gouvernement, qui peut faire varier sa position d'un texte à l'autre, il est clair qu'il ne doit plus être pris en considération, le propre d'un critère étant d'être constant. La décision du 30 juillet 1982 marque donc le retour à une définition organique de la loi qui coexiste assez étrangement avec l'institution, elle aussi incontestable, d'un domaine législatif.

(Adapted from Pierre Pactet, *Exercices de droit constitutionnel*, 1997, 3ᵉ ed., pp. 249–53, Copyright Armand Colin, Paris)

## Exemple d'un fiche d'arrêt

### Fiche d'arrêt de la décision de la Cour de cassation (chambre mixte) 27 février 1970 (voir page 66)

Date de la décision:              27 février 1970
Juridiction dont émane la décision: Cour de cassation, chambre mixte
Le texte du Code civil:            Article 1382

**1  Les faits**
  ● Paillette, le concubin de la dame Gaudras, est tué dans un accident de la circulation
  ● Dangereux est reconnu entièrement responsable de l'accident
  ● Dame Gaudras demande réparation du préjudice résultant pour elle de la mort de son concubin.

**2  La procédure**
  ● Dame Gaudras intente une action en indemnisation
  ● Le jugement de première instance, Paris, 16 octobre 1967, fait droit à sa demande en retenant:
    –  les garanties de stabilité de ce concubinage et
    –  l'absence de caractère délictueux de celui-ci
  ● Sur appel, la Cour d'appel infirme le jugement au motif que le concubinage ne crée pas de lien de droit entre les concubins
  ● Sur pourvoi, la chambre mixte de la Cour de cassation casse et renvoie l'arrêt attaqué devant une autre cour d'appel au motif qu'un lien de droit n'est pas exigé entre le défunt et le demandeur en indemnisation.

**3  Thèse en présence**
  ● L'arrêt attaqué avait écarté la prétention de la dame Gaudras au motif que le concubinage ne crée pas de droit entre les concubins ni à leur profit vis-à-vis des tiers
  ● Pourvoi de la dame Gaudras. La demanderesse invoque la violation de l'art. 1382 comme moyen unique de cassation.

**4 Point de droit**

L'absence de lien de droit entre le défunt et le demandeur en indemnisation empêche-t-il ce dernier d'intenter une action en réparation du préjudice résultant de la mort de son concubin?

**5 Sens de l'arrêt**

Cassation; application de l'art. 1382 du Code civil. En subordonnant l'application de l'art. 1382 à une condition qu'il ne contient pas (en l'espèce, l'exigence d'un lien de droit) l'arrêt a violé le texte susvisé. La réponse donnée par la chambre mixte de la Cour de cassation résulte d'une jurisprudence constante de la Cour de cassation de la chambre criminelle et s'applique indifféremment lorsque la victime, au lieu de se constituer partie civile devant la juridiction pénale, a intenté une action devant la juridiction civile.

# Exercice 2

Translate the decision of the Conseil constitutionnel no. 82–143 of 30 July 1982, which can be found on pages 114–15.

# Exercice 3

Write a *fiche d'arrêt* of the extract from the judgment of the Conseil d'Etat of 20 October 1989 (*arrêt Nicolo*), on page 65.

# Further reading

Isabelle Defrénois-Souleau, *Je veux réussir mon droit. Méthodes de travail et clés du succès*, Paris: Colin.

Henri Mazeaud and Denis Mazeaud, *Méthodes de travail. DEUG Droit*, Paris: Montchrestien.

Roger Mendegris and Georges Vermelle, *Le Commentaire d'arrêt en droit privé. Méthode et exemples*, Paris: Dalloz.

# LA FORMATION DU JURISTE

## PART I *Les diplômes universitaires*

En France, les étudiants en droit suivent des **cours magistraux** et assistent à des travaux dirigés. Les cours magistraux tendent à procurer un enseignement général, dispensé par un maître de conférence, un professeur ou un **professeur agrégé**. Le cours magistral se déroule dans des **amphithéâtres** (entre 100 et 500 étudiants); la présence y est facultative. Les travaux dirigés sont obligatoires pour les matières principales et ont lieu dans des salles de classe de 30 à 40 étudiants. Le chargé de travaux dirigés est généralement un assistant qui n'a pas toujours terminé son doctorat de droit. Les travaux dirigés permettent à l'étudiant d'assimiler les connaissances dispensées pendant le cours. Ils ont aussi un caractère pratique, l'étudiant apprenant à rédiger un commentaire d'arrêt, une fiche de jurisprudence et une dissertation juridique. Les **partiels** qui ont lieu au cours des deux premiers semestres opèrent un contrôle des connaissances. En général, la note de travaux dirigés représente un certain pourcentage de la note finale. Il faut obtenir une moyenne de 10 sur 20 pour être reçu.

Les études universitaires se divisent en quatre cycles. En premier cycle, les étudiants préparent un Diplôme d'études universitaires générales (le D.E.U.G.). Le D.E.U.G. en droit se prépare en deux ans: on parle plus couramment d'un «bac + 2». Le droit civil, le droit constitutionnel, l'histoire du droit et des institutions, les relations internationales et institutions européennes, les sciences politiques et sciences économiques constituent l'ensemble des matières enseignées. Les matières fondamentales comme le droit constitutionnel et le droit civil sont aussi dispensées sous forme de travaux dirigés. Les autres matières ne sont en général étudiées que sous forme de cours magistraux.

Aux six matières déjà enseignées en première année, viennent s'ajouter en deuxième année le droit des affaires, le droit pénal, le droit administratif et les finances publiques. Les enseignements incluent la pratique d'au moins une langue vivante étrangère.

Le second cycle comprend la licence et la maîtrise en droit. En licence, les matières enseignées sont notamment: le droit civil, le droit administratif, libertés publiques, le droit des affaires, **droit fiscal**, droit du travail et droit international public. En plus de ces matières, il y a des options.

En maîtrise, l'étudiant opte soit pour la maîtrise en droit privé (par exemple **la mention** droit des affaires, ou mention carrière judiciaire), soit pour la maîtrise en droit public.

En troisième cycle, l'étudiant choisit entre le Diplôme d'études approfondies (D.E.A.) et le Diplôme d'études supérieures spécialisées (D.E.S.S.). Le D.E.S.S. a un caractère beaucoup plus pratique que le D.E.A. et s'accompagne d'un **stage en entreprise ou en cabinet d'avocats**. Traditionnellement, le D.E.A. permet d'accéder plus particulièrement à l'enseignement universitaire et à la recherche. La durée des études est d'un an.

Le doctorat est le grade universitaire le plus élevé et s'obtient après l'obtention d'un D.E.A. Il est destiné à former des enseignants universitaires. Il se prépare sur 4 ans et **la soutenance de la thèse** est obligatoire.

---

**Vocabulaire**

**le cours magistral**  lecture
**le professeur agrégé**  n.t. (title awarded following successful completion of the *agrégation*, a national selection process for senior academics)
**un amphithéâtre**  lecture theatre
**le partiel**  mid-sessional examination

**le droit fiscal**  tax law
**la mention**  (here) specialising in
**le stage en entreprise ou en cabinet d'avocats**  work placement with a company or with a law practice
**la soutenance**  de la thèse viva

---

**Les études universitaires après le baccalauréat**

| D.E.U.G. | Bac + 2 |
| --- | --- |
| Licence | Bac + 3 |
| Maîtrise | Bac + 4 |
| D.E.S.S. ou D.E.A. | Bac + 5 |

# Exercice 1

*Reflexive and passive constructions often convey the same meaning in French. Several examples can be found in the text. Change the sentences below from the passive to the reflexive.*

*Exemple*
Les études universitaires sont divisées en quatre cycles. (*passive*)
Les études universitaires se divisent en quatre cycles. (*reflexive*)

1 Le D.E.U.G. en droit est préparé en deux ans.

2 Le second cycle des études universitaires est consacré à la licence.

3 Son doctorat en droit privé sera terminé en fin d'année.

4 En deuxième année du D.E.U.G. le droit administratif est ajouté aux six matières déjà enseignées.

5 Toutes les dissertations juridiques sont écrites selon un plan.

# Points d'actualité

### L'année universitaire sera organisée en semestres

Un certain nombre de dispositions de la réforme des études de premier cycle (DEUG) et de deuxième cycle (licence et maîtrise) adoptées par le Conseil national de l'enseignement supérieur et de la recherche devraient entrer en application dès la rentrée d'octobre. C'est tout au moins le sens de l'article 24 du nouvel arrêté général qui prévoit que «les universités doivent organiser la première année de manière à répondre à l'objectif d'orientation à la fin du premier semestre et à permettre aux étudiants d'opter pour des disciplines ouvrant à des possibilités de réorientation».

Plusieurs mesures transitoires et dérogatoires sont par ailleurs prévues. Ainsi, le droit dispose d'un délai – jusqu'au 1er mai 1998 – pour se conformer à la nouvelle «loi».

● **La semestrialisation.** Dans son article un, le texte confirme l'organisation de l'année en semestres, tant pour les DEUG que pour les licences et les maîtrises. La seconde innovation confirme et précise la possibilité de réorientations, dès le premier semestre, à l'intérieur du premier cycle post-baccalauréat, à savoir entre l'université, les IUT, les BTS et même les classes préparatoires aux grandes écoles. L'enseignement est défini sous la forme d'unités capitalisables étendues à l'ensemble des disciplines, incluant le tutorat comme dispositif de soutien en premier cycle.

● **Les réorientations.** Le semestre initial d'«orientation» doit permettre à l'étudiant de confirmer son choix ou de le modifier. L'enseignement sera organisé autour de trois unités: les disciplines fondamentales correspondant à son choix initial, une unité de découverte de disciplines complémentaires ou ouvrant vers d'autres DEUG, et une unité de méthodologie de travail disciplinaire. Le second semestre prévoit la poursuite des enseignements fondamentaux, une unité de méthodologie disciplinaire, et une unité de culture générale incluant une langue étrangère et l'informatique. Des enseignements complémentaires et des cours de soutien sont prévus pour les étudiants qui auront choisi une nouvelle orientation.

A la fin du semestre initial, une ou plusieurs commissions d'orientation se prononcent sur les acquis obtenus par les étudiants qui demandent à bénéficier d'une réorientation dans une autre formation. Le choix, précise l'article 14, «appartient à l'étudiant», qui peut également poursuivre ses études dans son option initiale ou dans l'unité de découverte.

● **L'unité d'expérience professionnelle.** La plus importante et une des plus controversées des modifications du deuxième cycle porte sur l'introduction de l'unité d'expérience professionnelle, l'ex «stage diplômant», destinée à «faire bénéficier les étudiants d'une meilleure connaissance du monde du travail et à faciliter leur insertion professionnelle». Prévue «dans le cadre du semestre universitaire» elle est définie par une convention entre l'étudiant, l'université et l'entreprise ou l'organisme d'accueil. Le contenu, les modalités, la rémunération comme la charte des stages doivent être précisés.

● **Passages et contrôles des connaissances.** Ce fut, de toute évidence, le point le plus complexe et le plus discuté de la réforme. En DEUG, le contrôle des connaissances est assuré chaque année par deux sessions d'examens dont l'intervalle est au moins de deux mois, sauf exceptions particulières décidées par les établissements. Les unités où l'étudiant a obtenu la moyenne sont définitive-ment acquises et capitalisables. Elles sont affectées d'un coefficient différent, de 1 à 2, dont l'amplitude est déterminée par le conseil d'administration de l'université. Il est prévu, cependant, que l'étudiant ayant acquis 70% des coefficients de la première année sera autorisé à s'inscrire en deuxième année. La compensation s'applique également aux disciplines juridiques, qui bénéficient toutefois d'un régime dérogatoire de maintien temporaire de l'exigence de la double moyenne dans les unités fondamentales. Pour l'accès en licence, le passage «conditionnel» est acquis en faveur des étudiants qui auront validé 80% des enseignements du DEUG.

● **Evaluation des enseignants et des formations.** Les étudiants vont pouvoir évaluer et juger chacun de leurs enseignants, mais cette appréciation ne sera transmise qu'à l'intéressé.

(Adapted from M.D., *Le Monde*, 6/7 avril 1997)

# PART II *Les formations professionnelles*

L'étudiant désireux d'**exercer une profession libérale** ou de poursuivre une carrière dans la fonction publique, pour devenir fonctionnaire, devra continuer ses études. Le seul diplôme universitaire ne suffit pas, il lui faut encore passer des examens et des **concours** et suivre des stages professionnels.

## Les avocats

Au minimum **titulaire d**'une maîtrise en droit privé, le candidat doit réussir l'examen d'entrée à un Centre régional de formation professionnelle des avocats (C.F.P.A.). L'étudiant s'inscrit dans un Institut d'études juridiques (I.E.J.) au sein de l'université où des cours sont dispensés tout au long de l'année pour le préparer à cet examen.

Après avoir réussi l'examen d'entrée, il suit des cours au C.F.P.A. pendant un an, et effectue deux stages, l'un dans un cabinet d'avocats, l'autre en entreprise. A la fin de l'année, il doit subir avec succès un examen de contrôle pour **se voir**

**décerner** le C.A.P.A. (Certificat d'aptitude à la profession d'avocat). Il est alors **avocat stagiaire**. Avant de pouvoir s'inscrire au tableau de l'ordre des avocats, il effectue pendant deux ans son stage dans un cabinet d'avocats.

## Les notaires

La voie universitaire est la filière la plus couramment utilisée. Titulaire d'une maîtrise en droit, le candidat prépare un D.E.S.S. de droit notarial, le diplôme supérieur du notariat (D.S.N.). A cette fin, il effectue d'abord un stage de deux ans et demi dans une étude de notaire, tout en suivant des cours; puis, soutient son **mémoire** ou son **rapport de stage**.

## La magistrature de l'ordre judiciaire

Titulaire d'une maîtrise, l'étudiant se préparant à la magistrature doit subir avec succès le concours d'entrée à l'Ecole nationale de la Magistrature, situé à Bordeaux. Tout comme l'avocat, le futur magistrat prépare le concours en université dans le cadre des I.E.J. Soixante pour cent des reçus sont des femmes. Le candidat passe 31 mois à l'E.N.M. où il suit des cours et effectue des stages professionnels.

## Les juges administratifs

L'étudiant doit réussir le concours de l'Ecole nationale d'administration (l'ENA) pour accéder au grade de la fonction publique (en tant qu'administrateur civil et en tant que juge). Il s'inscrit dans un Institut d'études politiques (I.E.P.) **détaché** des universités pour préparer le concours. Ayant réussi ce concours, il **suit une scolarité** de deux ans à l'ENA, dont une année de stage, à l'issue de laquelle il y a **un examen de classement**. Les meilleurs placés choisissent pour la plupart d'entrer au Conseil d'Etat.

**Le recrutement latéral** occupe une place extrêmement importante dans l'ordre administratif. Des concours internes permettent d'accéder à un emploi de juge sans passer par l'ENA.

---

**Vocabulaire**

**exercer une profession libérale** to practise a profession (in a private capacity)
**le concours** competitive examination
**titulaire de** holder of
**se voir décerner** to be awarded
**un avocat stagiaire** trainee lawyer
**le mémoire** dissertation
**le rapport de stage** report on the work placement

**détaché** separate
**suivre une scolarité** to attend a course
**un examen de classement** *an examination which ranks the student according to the mark awarded*
**le recrutement latéral** *internal system of recruitment*

---

Les gens par Kerleroux

QUAND LES ÉNARQUES SERONT AU CHÔMAGE ALORS ON COMMENCERA A S'INQUIÉTER VRAIMENT

From *Le Monde*, 29 juin 1997.
By permission of Kerleroux.

## Exercice 2

*Multiple choice*

**1** Quel diplôme n'équivaut pas à un "bac + 5"?
  ☐ le D.E.U.G.
  ☐ le D.E.A.
  ☐ le D.E.S.S.

**2** Quel est le terme pour désigner l'enseignement dispensé dans un amphi-théâtre?
  ☐ le cours magistral
  ☐ les travaux dirigés

**3** Quel examen faut-il réussir pour être avocat?

☐ l'E.N.M.

☐ le C.F.P.A.

☐ le D.S.N.

**4** Pour devenir juge d'instruction, il faut être titulaire d'une:

☐ maîtrise plus C.A.P.A.

☐ maîtrise plus ENA

☐ maîtrise plus E.N.M.

**5** Où faut-il préparer le concours de l'ENA?

☐ dans un I.E.J.

☐ dans un I.E.P.

☐ dans un C.F.P.A.

# Appendix 1: How to use a French law library

When studying French law or practising as a French lawyer, you need to know how to use a French law library. This appendix therefore provides a brief introduction to some of the most important books that are used by lawyers in France.

## The Codes

Each student studying an area of French law which is codified will always buy, as well as their textbook, a copy of the code. There are two types of code in France: the official codes which have been produced by the State (for example, the Civil Code) and the unofficial codes which have been produced by private publishers, particularly Dalloz, which bring together the Acts and regulations in a particular field (for example, the Administrative Code and the Company Code).

There are two main series by private publishers. Perhaps better known is the one published by Dalloz in small red volumes. The other series is published by Litec in blue volumes. Both come out in new editions each year and contain annotations after each article referring the reader to relevant judicial decisions and sections in journals.

## Textbooks

Different types of textbooks are available. *Les traités* contain very detailed and respected discussions of the law, generally reflecting the personal view of the author. They usually consist of several volumes, they are expensive and the publishers are not usually able to keep them up to date. Examples of this type of work are:

Marcel Planiol et George Ripert, *Traité pratique de droit civil français* (14 volumes for the 1st edition in 1925), Paris: Librairie générale de droit et de jurisprudence.
Roger Merle et André Vitu, *Traité de droit criminel*, Paris: Cujas.

Publishers have developed series of *manuels* and *précis*, which are concise and clear student textbooks. New editions are frequently issued to keep them up to date. Examples are:

Jean Carbonnier, *Droit civil*, Paris: Presses universitaires de France.
Jacques Flour, Jean-Luc Aubert, Henri Souleau, *Droit civil*, Paris: Armand Colin.

*Mémentos* are very brief summaries of a subject and are frequently used for revision. A typical example is:

Jean Larguier, *Procédure pénale*, Paris: Dalloz 1995 (Mémentos Dalloz série droit
   privé)

## The *Journal officiel*

The *Journal officiel* is an official publication which is published every day. It contains the full text of all the Acts and decrees that have been passed in France, as a legal text only comes into force upon publication in this journal. These are in chronological order and are not annotated. The *Edition des lois et décrets* is divided into four parts:

I    *Les lois*
II   *Les décrets, arrêtés et circulaires*
III  *Les informations parlementaires*
IV   *Des avis et communications de toutes sortes*

This book tends to be most useful if you are looking for a very recent piece of legislation; otherwise the private journals are generally found to be more accessible.

## The *Recueil Dalloz-Sirey*

This is a private publication which initially was two separate journals, the *Dalloz* and the *Sirey*, both established at the beginning of the nineteenth century. They were combined into a single journal in 1965, forming the *Recueil Dalloz-Sirey*. It is a general journal which appears every week, and is then bound into volumes at the end of the year. Each edition is now divided into four parts (though earlier editions were divided in a slightly different way), each with separate pagination:

I    *Chroniques*
     (articles written by academics on topical issues)
II   *Jurisprudence*
     (complete judgments followed by a commentary)
III  *Informations rapides*
     (summaries of recent cases, ordered according to their subject matter, and
     sometimes followed by short commentaries)
IV   *Législation*
     (recent Acts of Parliament and decrees)

### References

This journal tends to be referred to by the letter "D". For example:

Civ. 1re, 11 janv. 1983: D. 1983. 501, note Larroumet.
(Decision of the first civil division of the *Cour de cassation*, Dalloz 1983, p. 501, with a commentary written by M. Larroumet)

## La Semaine juridique

This is also known as the *Juris-classeur périodique*. It is a private journal which is published weekly and then bound into volumes at the end of the year. It is divided into four parts:

I    *Doctrine*
II   *Jurisprudence*
     (the complete decision is published, followed by a commentary)
III  *Textes*
     (legislation)
IV   *Sommaires des décisions*

### References

The letters JCP refer to this journal. Headings are referred to by their number in the text and not by their page number, except in part IV. For example:

Crim. 2 mars 1961: JCP 1961.II.12092, note Larguier
(Decision of the criminal division of the *Cour de cassation* given on 2 March 1961, reported in the *Semaine juridique* of 1961 in its second part, *Jurisprudence*, at paragraph 12092, with a commentary by M. Larguier)

## La Gazette du Palais

This is a general private journal which concentrates on current issues and legal practice. It is published three times a week in the form of a newspaper and bound at the end of each year into two volumes, with the year being split for this purpose into two semesters. It is divided into four parts:

I    commented cases
II   case summaries (called *panoramas*)
III  legislation
IV   academic articles (*les chroniques*)

The tables at the back of each volume are extremely useful, as they include references to material published by 30 other legal journals. These tables appear every six months and are combined every three years under the heading *Répertoire universel de la jurisprudence, de la doctrine et de la législation*. The tables include references to all the cases reported over the previous three years, with summaries of each case.

*La Gazette du Palais* is abbreviated to Gaz. Pal. or G.P. For example:

T.confl. 25 avr. 1994: Gaz. Pal. 1994.2.561, note Petit.
(Decision of the *Tribunal des conflits* of 25 April 1994, reported in the *Gazette du Palais* in 1994, volume two, page 561, with a commentary by M. Petit)

## Les Bulletins de la Cour de cassation

There are two: the *Bulletin civil* and the *Bulletin criminel*. These are official publications, and approximately half the decisions of the *Cour de cassation* are published in these journals. The full decision is given but there is no commentary. The *Bulletin criminel* contains the decisions of the criminal division of the *Cour de cassation*. The *Bulletin civil* is a larger publication and contains the decisions of all the other divisions. The *Bulletins* are published each month, with cases appearing about five or six months after they were handed down by the court, i.e. in June a library will receive the edition for January, which contains the decisions given in that month. Thus this journal is very easy to use if you know the date of the case.

The *Bulletin civil* contains all the decisions of the *assemblée plénière* and the *chambre mixte*. It is divided into five parts:

I    *première chambre civile*
II   *deuxième chambre civile*
III  *troisième chambre civile*
IV   *chambre commerciale et financière*
V    *chambre sociale*

Within each section the judgments are published in chronological order. Each decision is given a number, and each part has separate pagination. There is an alphabetical index by subject matter of the case at the beginning of each monthly edition and a cumulative index at the end of each year, with a further cumulative index being produced every three years.

### References

These journals are referred to as "Bull". For example:

Civ. 1er, 4 avr. 1984: Bull. civ.1, no. 130.
(Decision of the first civil division of the *Cour de cassation* of 4 April 1984, reported in the *Bulletin civil* of the *Cour de cassation*, in its first part, at paragraph number 130)

## Le Recueil Lebon

This is also called *Le Recueil des arrêts du Conseil d'Etat*. It publishes most of the decisions of the *Conseil d'Etat* and some of the decisions of the *Tribunal des conflits*, the *Cours administratives d'appel* and the *tribunaux administratifs*. It is divided into six parts, one for each administrative court, and the decisions are reported within those parts in chronological order. Important decisions are published in full and are often accompanied by the opinion of the *commissaire du gouvernement*. Summaries are given of less important decisions. At the back of each volume there is an alphabetical index of case commentaries that have been published in a wide range of journals.

### References

The law report is referred to by R., Rec. or Leb. For example:

C.E. 6 février 1903, Terrier, Rec. 94, concl. Romieu.
(Decision of the *Conseil d'Etat* of 6 February 1903, the applicant was called Terrier, published in the *Recueil Lebon* in 1903, page 94, with the opinion of the commissaire du gouvernement, Romieu)

## *La Revue trimestrielle de droit civil*

There is a large range of specialist law journals, most of them published three times a year. The *Revue trimestrielle de droit civil* is perhaps the best known of these journals, and specialises in civil law. Four editions are produced each year. It is divided into seven parts and contains academic articles, a bibliography of recent publications, and commentaries on judgments and legislation.

### References

The abbreviation used is Rev. trim. dr. civ. or RTD civ. For example:

Civ. 1re, 3 janv. 1985: RTD civ. 1986. 147, obs. Rémy.
(Decision of the first civil division of the *Cour de cassation* made on 3 January 1985 and reported in the *Revue trimestrielle de droit civil* in 1986, p.147, with a commentary by M. Rémy)

## *Encyclopédie Dalloz*

Legal encyclopedias (*les encyclopédies juridiques*) are very substantial works which extend across most areas of the law. They constitute the principal reference books of practitioners, containing practical explanations of the law rather than developing legal theories. They tend to be published as looseleaf volumes so that they can constantly be updated.

The *Encyclopédie Dalloz* is made up of over 30 volumes which are grouped in mini-series called *Répertoires* covering different disciplines. For example, there are seven volumes for the *Répertoire civil* and three volumes for the *Répertoire pénal*. Within each of these subject areas the material is ordered alphabetically. Under each heading there follows a chart showing how the material is arranged, a bibliography, an alphabetical index of the issues covered, and the name of the author of the section. The material is divided into numbered paragraphs and is updated twice a year.

### References

The abbreviation used for this journal is "REP. CIV." or "Enc. Dalloz". For example:

REP. CIV. Vo *Présomptions*, par DUPICHOT
(Reference to the civil law section of the *Répertoire civil*, under the heading *Présomptions*. The section was written by M. Dupichot. "Vo" is an abbreviation of the Latin word *verbo*, meaning "under the word")

## *Les Juris-classeurs*

This is a legal encyclopedia consisting of about 300 volumes, which are subdivided into 34 different disciplines; for example, the *Juris-classeur civil* and the *Juris-classeur international*. Where there is an official code, the *Juris-classeur* is generally arranged in the same way as the code, with the headings being the articles of the code. Under the heading is the name of the author, the text of the article(s) discussed, a bibliography, a detailed summary of contents, and an alphabetical index, followed by the main discussion. The volumes are updated three times a year.

# Appendix 2: The French Constitution of 1958

## Préambule

Le peuple français proclame solennellement son attachement aux droits de l'homme et aux principes de la souveraineté nationale tels qu'ils ont été définis par la Déclaration de 1789, confirmée et complétée par le préambule de la Constitution de 1946.

En vertu de ces principes et de celui de la libre détermination des peuples, la République offre aux territoires d'outre-mer qui manifestent la volonté d'y adhérer des institutions nouvelles fondées sur l'idéal commun de liberté, d'égalité et de fraternité et conçues en vue de leur évolution démocratique.

**Article 1er** – La France est une République indivisible, laïque, démocratique et sociale. Elle assure l'égalité devant la loi de tous les citoyens sans distinction d'origine, de race ou de religion. Elle respecte toutes les croyances.

### TITRE PREMIER – De la souveraineté

**Article 2** – La langue de la République est le français.

L'emblème national est le drapeau tricolore, bleu, blanc, rouge.

L'hymne national est *La Marseillaise*.

La devise de la République est 'Liberté, Egalité, Fraternité'.

Son principe est: gouvernement du peuple, par le peuple et pour le peuple.

**Article 3** – La souveraineté nationale appartient au peuple, qui l'exerce par ses représentants et par la voie du référendum.

Aucune section du peuple ni aucun individu ne peut s'en attribuer l'exercice.

Le suffrage peut être direct ou indirect dans les conditions prévues par la Constitution. Il est toujours universel, égal et secret.

Sont électeurs, dans les conditions déterminées par la loi, tous les nationaux français majeurs, des deux sexes, jouissant de leurs droits civils et politiques.

**Article 4** – Les partis et groupements politiques concourent à l'expression du suffrage. Ils se forment et exercent leur activité librement. Ils doivent respecter les principes de la souveraineté nationale et de la démocratie.

## TITRE II – Le président de la République

**Article 5** – Le président de la République veille au respect de la Constitution. Il assure, par son arbitrage, le fonctionnement régulier des pouvoirs publics ainsi que la continuité de l'Etat. Il est le garant de l'indépendance nationale, de l'intégrité du territoire, du respect des traités.

**Article 6** – Le président de la République est élu pour sept ans au suffrage universel direct. Les modalités d'application du présent article sont fixées par une loi organique.

**Article 7** – Le président de la République est élu à la majorité absolue des suffrages exprimés. Si celle-ci n'est pas obtenue au premier tour de scrutin, il est procédé, le deuxième dimanche suivant, à un second tour. Seuls peuvent s'y présenter les deux candidats qui, le cas échéant après retrait de candidats plus favorisés, se trouvent avoir recueilli le plus grand nombre de suffrages au premier tour.

Le scrutin est ouvert sur convocation du Gouvernement.

L'élection du nouveau président a lieu vingt jours au moins et trente-cinq jours au plus avant l'expiration des pouvoirs du président en exercice.

En cas de vacance de la présidence de la République pour quelque cause que ce soit, ou d'empêchement constaté par le Conseil constitutionnel saisi par le Gouvernement et statuant à la majorité absolue de ses membres, les fonctions du président de la République, à l'exception de celles prévues aux articles 11 et 12 ci-dessous, sont provisoirement exercées par le président du Sénat et, si celui-ci est à son tour empêché d'exercer ces fonctions, par le Gouvernement.

En cas de vacance ou lorsque l'empêchement est déclaré définitif par le Conseil constitutionnel, le scrutin pour l'élection du nouveau président a lieu, sauf cas de force majeure constaté par le Conseil constitutionnel, vingt jours au moins et trente-cinq jours au plus après l'ouverture de la vacance ou la déclaration du caractère définitif de l'empêchement.

Si, dans les sept jours précédant la date limite du dépôt des présentations de candidatures, une des personnes ayant, moins de trente jours avant cette date, annoncé publiquement sa décision d'être candidat décède ou se trouve empêchée, le Conseil constitutionnel peut décider de reporter l'élection.

Si, avant le premier tour, un des candidats décède ou se trouve empêché, le Conseil constitutionnel prononce le report de l'élection.

En cas de décès ou d'empêchement de l'un des deux candidats les plus favorisés au premier tour avant les retraits éventuels, le Conseil constitutionnel déclare qu'il doit être procédé de nouveau à l'ensemble des opérations électorales; il en est de même en cas de décès ou d'empêchement de l'un des deux candidats restés en présence en vue du second tour.

Dans tous les cas, le Conseil constitutionnel est saisi dans les conditions fixées au deuxième alinéa de l'article 61 ci-dessous ou dans celles déterminées pour la présentation d'un candidat par la loi organique prévue à l'article 6 ci-dessus.

Le Conseil constitutionnel peut proroger les délais prévus aux troisième et cinquième alinéas sans que le scrutin puisse avoir lieu plus de trente-cinq jours après la date de la décision du Conseil constitutionnel. Si l'application des dispositions du présent alinéa a eu pour effet de reporter l'élection à une date postérieure à l'expiration des pouvoirs du président en exercice, celui-ci demeure en fonction jusqu'à la proclamation de son successeur.

Il ne peut être fait application ni des articles 49 et 50 ni de l'article 89 de la Constitution durant la vacance de la présidence de la République ou durant la période qui s'écoule entre la déclaration du caractère définitif de l'empêchement du président de la République et l'élection de son successeur.

**Article 8** – Le président de la République nomme le Premier ministre. Il met fin à ses fonctions sur la présentation par celui-ci de la démission du Gouvernement.

Sur la proposition du Premier ministre, il nomme les autres membres du Gouvernement et met fin à leurs fonctions.

**Article 9** – Le président de la République préside le Conseil des ministres.

**Article 10** – Le président de la République promulgue les lois dans les quinze jours qui suivent la transmission au Gouvernement de la loi définitivement adoptée.

Il peut, avant l'expiration de ce délai, demander au Parlement une nouvelle délibération de la loi ou de certains de ses articles. Cette nouvelle délibération ne peut être refusée.

**Article 11** – Le président de la République, sur proposition du Gouvernement pendant la durée des sessions ou sur proposition conjointe des deux assemblées, publiées au *Journal officiel*, peut soumettre au référendum tout projet de loi portant sur l'organisation des pouvoirs publics, sur des réformes relatives à la politique économique ou sociale de la nation et aux services publics qui y concourent, ou tendant à autoriser la ratification d'un traité qui, sans être contraire à la Constitution, aurait des incidences sur le fonctionnement des institutions.

Lorsque le référendum est organisé sur proposition du Gouvernement, celui-ci fait, devant chaque assemblée, une déclaration qui est suivie d'un débat.

Lorsque le référendum a conclu à l'adoption du projet de loi, le président de la République promulgue la loi dans les quinze jours qui suivent la proclamation des résultats.

**Article 12** – Le président de la République peut, après consultation du Premier ministre et des présidents des assemblées, prononcer la dissolution de l'Assemblée nationale.

Les élections générales ont lieu vingt jours au moins et quarante jours au plus tard après la dissolution.

L'Assemblée nationale se réunit de plein droit le deuxième jeudi qui suit son élection. Si cette réunion a lieu en dehors de la période prévue pour la session ordinaire, une session est ouverte de droit pour une durée de quinze jours.

Il ne peut être procédé à une nouvelle dissolution dans l'année qui suit ces élections.

**Article 13** – Le président de la République signe les ordonnances et les décrets délibérés en Conseil des ministres.

Il nomme aux emplois civils et militaires de l'Etat.

Les conseillers d'Etat, le grand chancelier de la Légion d'honneur, les ambassadeurs et envoyés extraordinaires, les conseillers maîtres à la Cour des comptes, les préfets, les représentants du Gouvernement dans les territoires d'outre-mer, les officiers généraux, les recteurs des académies, les directeurs des administrations centrales sont nommés en Conseil des ministres.

Une loi organique détermine les autres emplois auxquels il est pourvu en Conseil des ministres ainsi que les conditions dans lesquelles le pouvoir de nomination du président de la République peut être par lui délégué pour être exercé en son nom.

**Article 14** – Le président de la République accrédite les ambassadeurs et les envoyés extraordinaires auprès des puissances étrangères; les ambassadeurs et les envoyés extraordinaires étrangers sont accrédités auprès de lui.

**Article 15** – Le président de la République est le chef des armées. Il préside les conseils et comités supérieurs de la Défense nationale.

**Article 16** – Lorsque les institutions de la République, l'indépendance de la Nation, l'intégrité de son territoire ou l'exécution de ses engagements internationaux sont menacées d'une manière grave et immédiate et que le fonctionnement régulier des pouvoirs publics constitutionnels est interrompu, le président de la République prend les mesures exigées par ces circonstances, après consultation officielle du Premier ministre, des présidents des assemblées ainsi que du Conseil constitutionnel.

Il en informe la Nation par un message.

Ces mesures doivent être inspirées par la volonté d'assurer aux pouvoirs publics constitutionnels, dans les moindres délais, les moyens d'accomplir leur mission. Le Conseil constitutionnel est consulté à leur sujet.

Le Parlement se réunit de plein droit.

L'Assemblée nationale ne peut être dissoute pendant l'exercice des pouvoirs exceptionnels.

**Article 17** – Le président de la République a le droit de faire grâce.

**Article 18** – Le président de la République communique avec les deux assemblées du Parlement par des messages qu'il fait lire et qui ne donnent lieu à aucun débat.

Hors session, le Parlement est réuni spécialement à cet effet.

**Article 19** – Les actes du président de la République autres que ceux prévus aux articles 8 (1er alinéa), 11, 12, 16, 18, 54, 56 et 61 sont contresignés par le Premier ministre et, le cas échéant, par les ministres responsables.

## TITRE III – Le Gouvernement

**Article 20** – Le Gouvernement détermine et conduit la politique de la Nation.

Il dispose de l'administration et de la force armée.

Il est responsable devant le Parlement dans les conditions et suivant les procédures prévues aux articles 49 et 50.

**Article 21** – Le Premier ministre dirige l'action du Gouvernement. Il est responsable de la Défense nationale. Il assure l'exécution des lois. Sous réserve des dispositions de l'article 13, il exerce le pouvoir réglementaire et nomme aux emplois civils et militaires.

Il peut déléguer certains de ses pouvoirs aux ministres.

Il supplée, le cas échéant, le président de la République dans la présidence des conseils et comités prévus à l'article 15.

Il peut, à titre exceptionnel, le suppléer pour la présidence d'un Conseil des ministres en vertu d'une délégation expresse et pour un ordre du jour déterminé.

**Article 22** – Les actes du Premier ministre sont contresignés, le cas échéant, par les ministres chargés de leur exécution.

**Article 23** – Les fonctions de membre du Gouvernement sont incompatibles avec l'exercice de tout mandat parlementaire, de toute fonction de représentation professionnelle à caractère national et de tout emploi public ou de toute activité professionnelle.

Une loi organique fixe les conditions dans lesquelles il est pourvu au remplacement des titulaires de tels mandats, fonctions ou emplois.

Le remplacement des membres du Parlement a lieu conformément aux dispositions de l'article 25.

## TITRE IV – Le Parlement

**Article 24** – Le Parlement comprend l'Assemblée nationale et le Sénat.

Les députés à l'Assemblée nationale sont élus au suffrage direct.

Le Sénat est élu au suffrage indirect. Il assure la représentation des collectivités territoriales de la République. Les Français établis hors de France sont représentés au Sénat.

**Article 25** – Une loi organique fixe la durée des pouvoirs de chaque assemblée, le nombre de ses membres, leur indemnité, les conditions d'éligibilité, le régime des inéligibilités et des incompatibilités.

Elle fixe également les conditions dans lesquelles sont élues les personnes appelées à assurer, en cas de vacance du siège, le remplacement des députés ou des sénateurs jusqu'au renouvellement général ou partiel de l'assemblée à laquelle ils appartenaient.

**Article 26** – Aucun membre du Parlement ne peut être poursuivi, recherché, arrêté, détenu ou jugé à l'occasion des opinions ou votes émis par lui dans l'exercice de ses fonctions.

Aucun membre du Parlement ne peut faire l'objet, en matière criminelle ou correctionnelle, d'une arrestation ou de toute autre mesure privative ou restrictive de liberté qu'avec l'autorisation du Bureau de l'assemblée dont il fait partie. Cette autorisation n'est pas requise en cas de crime ou délit flagrant ou de condamnation définitive.

La détention, les mesures privatives ou restrictives de liberté ou la poursuite d'un membre du Parlement sont suspendues pour la durée de la session si l'assemblée dont il fait partie le requiert.

L'assemblée intéressée est réunie de plein droit pour des séances supplémentaires pour permettre, le cas échéant, l'application de l'alinéa ci-dessus.

**Article 27** – Tout mandat impératif est nul.

Le droit de vote des membres du Parlement est personnel.

La loi organique peut autoriser exceptionnellement la délégation de vote. Dans ce cas, nul ne peut recevoir délégation de plus d'un mandat.

**Article 28** – Le Parlement se réunit de plein droit en une session ordinaire qui commence le premier jour ouvrable d'octobre et prend fin le dernier jour ouvrable de juin.

Le nombre de jours de séance que chaque assemblée peut tenir au cours de la session ordinaire ne peut excéder cent vingt. Les semaines de séance sont fixées par chaque assemblée.

Le Premier ministre, après consultation du président de l'assemblée concernée, ou la majorité des membres de chaque assemblée, peut décider la tenue de jours supplémentaires de séance.

Les jours et les horaires des séances sont déterminés par le règlement de chaque assemblée.

**Article 29** – Le Parlement est réuni en session extraordinaire à la demande du Premier ministre ou de la majorité des membres composant l'Assemblée nationale sur un ordre du jour déterminé.

Lorsque la session extraordinaire est tenue à la demande des membres de l'Assemblée nationale, le décret de clôture intervient dès que le Parlement a épuisé l'ordre du jour pour lequel il a été convoqué et au plus tard douze jours à compter de sa réunion.

Le Premier ministre peut seul demander une nouvelle session avant l'expiration du mois qui suit le décret de clôture.

**Article 30** – Hors les cas dans lesquels le Parlement se réunit de plein droit, les sessions extraordinaires sont ouvertes et closes par décret du président de la République.

**Article 31** – Les membres du Gouvernement ont accès aux deux assemblées. Ils sont entendus quand ils le demandent.

Ils peuvent se faire assister par des commissaires du gouvernement.

**Article 32** – Le président de l'Assemblée nationale est élu pour la durée de la législature. Le président du Sénat est élu après chaque renouvellement partiel.

**Article 33** – Les séances des deux assemblées sont publiques. Le compte rendu intégral des débats est publié au *Journal officiel*.

Chaque assemblée peut siéger en comité secret à la demande du Premier ministre ou d'un dixième de ses membres.

## TITRE V – Des rapports entre le Parlement et le Gouvernement

**Article 34** – La loi est votée par le Parlement.

La loi fixe les règles concernant:

- les droits civiques et les garanties fondamentales accordées aux citoyens pour l'exercice des libertés publiques; les sujétions imposées par la Défense nationale aux citoyens en leur personne et en leurs biens;
- la nationalité, l'état et la capacité des personnes, les régimes matrimoniaux, les successions et libéralités;
- la détermination des crimes et délits ainsi que les peines qui leur sont applicables; la procédure pénale; l'amnistie; la création de nouveaux ordres de juridiction et le statut des magistrats;
- l'assiette, le taux et les modalités de recouvrement des impositions de toutes natures; le régime d'émission de la monnaie.

La loi fixe également les règles concernant:

- le régime électoral des assemblées parlementaires et des assemblées locales;
- la création de catégories d'établissements publics;
- les garanties fondamentales accordées aux fonctionnaires civils et militaires de l'Etat;
- les nationalisations d'entreprises et les transferts de propriété d'entreprises du secteur public au secteur privé.

La loi détermine les principes fondamentaux:

- de l'organisation générale de la Défense nationale;
- de la libre administration des collectivités locales, de leurs compétences et de leurs ressources;
- de l'enseignement;
- du régime de la propriété, des droits réels et des obligations civiles et commerciales;
- du droit du travail, du droit syndical et de la sécurité sociale.

Les lois de finances déterminent les ressources et les charges de l'Etat dans les conditions et sous les réserves prévues par une loi organique.

Des lois de programme déterminent les objectifs de l'action économique et sociale de l'Etat.

Les lois de financement de la sécurité sociale déterminent les conditions générales de son équilibre financier et, compte tenu de leurs prévisions de recettes, fixent ses objectifs de dépenses, dans les conditions et sous les réserves prévues par une loi organique.

Les dispositions du présent article pourront être précisées et complétées par une loi organique.

**Article 35** – La déclaration de guerre est autorisée par le Parlement.

**Article 36** – L'état de siège est décrété en Conseil des ministres.

Sa prorogation au-delà de douze jours ne peut être autorisée que par le Parlement.

**Article 37** – Les matières autres que celles qui sont du domaine de la loi ont un caractère réglementaire.

Les textes de forme législative intervenus en ces matières peuvent être modifiés par décrets pris après avis du Conseil d'Etat. Ceux de ces textes qui interviendraient après l'entrée en vigueur de la présente Constitution ne pourront être modifiés par décret que si le Conseil constitutionnel a déclaré qu'ils ont un caractère réglementaire en vertu de l'alinéa précédent.

**Article 38** – Le Gouvernement peut, pour l'exécution de son programme, demander au Parlement l'autorisation de prendre par ordonnances, pendant un délai limité, des mesures qui sont normalement du domaine de la loi.

Les ordonnances sont prises en Conseil des ministres après avis du Conseil d'Etat. Elles entrent en vigueur dès leur publication, mais deviennent caduques si le projet de loi de ratification n'est pas déposé devant le Parlement avant la date fixée par la loi d'habilitation. A l'expiration du délai mentionné au premier alinéa du présent article, les ordonnances ne peuvent plus être modifiées que par la loi dans les matières qui sont du domaine législatif.

**Article 39** – L'initiative des lois appartient concurremment au Premier ministre et aux membres du Parlement.

Les projets de loi sont délibérés en Conseil des ministres après avis du Conseil d'Etat et déposés sur le bureau de l'une des deux assemblées. Les projets de loi de finances et de loi de financement de la sécurité sociale sont soumis en premier lieu à l'Assemblée nationale.

**Article 40** – Les propositions et amendements formulés par les membres du Parlement ne sont pas recevables lorsque leur adoption aurait pour conséquence soit une diminution des ressources publiques, soit la création ou l'aggravation d'une charge publique.

**Article 41** – S'il apparaît au cours de la procédure législative qu'une proposition ou un amendement n'est pas du domaine de la loi ou est contraire à une délégation accordée en vertu de l'article 38, le Gouvernement peut opposer l'irrecevabilité.

En cas de désaccord entre le Gouvernement et le président de l'assemblée intéressée, le Conseil constitutionnel, à la demande de l'un ou de l'autre, statue dans un délai de huit jours.

**Article 42** – La discussion des projets de loi porte, devant la première assemblée saisie, sur le texte présenté par le Gouvernement.

Une assemblée saisie d'un texte voté par l'autre assemblée délibère sur le texte qui lui est transmis.

**Article 43** – Les projets et propositions de loi sont, à la demande du Gouvernement ou de l'assemblée qui en est saisie, envoyés pour examen à des commissions spécialement désignées à cet effet.

Les projets et propositions pour lesquels une telle demande n'a pas été faite sont envoyés à l'une des commissions permanentes dont le nombre est limité à six dans chaque assemblée.

**Article 44** – Les membres du Parlement et le Gouvernement ont le droit d'amendement.

Après l'ouverture du débat, le Gouvernement peut s'opposer à l'examen de tout amendement qui n'a pas été antérieurement soumis à la commission.

Si le Gouvernement le demande, l'assemblée saisie se prononce par un seul vote sur tout ou partie du texte en discussion en ne retenant que les amendements proposés ou acceptés par le Gouvernement.

**Article 45** – Tout projet ou proposition de loi est examiné successivement dans les deux assemblées du Parlement en vue de l'adoption d'un texte identique.

Lorsque, par suite d'un désaccord entre les deux assemblées, un projet ou une proposition de loi n'a pu être adopté après deux lectures par chaque assemblée ou, si le Gouvernement a déclaré l'urgence, après une seule lecture par chacune d'entre elles, le Premier ministre a la faculté de provoquer la réunion d'une commission mixte paritaire chargée de proposer un texte sur les dispositions restant en discussion.

Le texte élaboré par la commission mixte peut être soumis par le Gouvernement pour approbation aux deux assemblées. Aucun amendement n'est recevable sauf accord du Gouvernement.

Si la commission mixte ne parvient pas à l'adoption d'un texte commun ou si ce texte n'est pas adopté dans les conditions prévues à l'alinéa précédent, le Gouvernement peut, après une nouvelle lecture par l'Assemblée nationale et par le Sénat, demander à l'Assemblée nationale de statuer définitivement. En ce cas, l'Assemblée nationale peut reprendre soit le texte élaboré par la commission mixte, soit le dernier texte voté par elle, modifié, le cas échéant, par un ou plusieurs des amendements adoptés par le Sénat.

**Article 46** – Les lois auxquelles la Constitution confère le caractère de lois organiques sont votées et modifiées dans les conditions suivantes:

Le projet ou la proposition n'est soumis à la délibération et au vote de la première assemblée saisie qu'à l'expiration d'un délai de quinze jours après son dépôt.

La procédure de l'article 45 est applicable. Toutefois, faute d'accord entre les deux assemblées, le texte ne peut être adopté par l'Assemblée nationale en dernière lecture qu'à la majorité absolue de ses membres.

Les lois organiques relatives au Sénat doivent être votées dans les mêmes termes par les deux assemblées.

Les lois organiques ne peuvent être promulguées qu'après déclaration par le Conseil constitutionnel de leur conformité à la Constitution.

**Article 47** – Le Parlement vote les projets de loi de finances dans les conditions prévues par une loi organique.

Si l'Assemblée nationale ne s'est pas prononcée en première lecture dans le délai de quarante jours après le dépôt d'un projet, le Gouvernement saisit le Sénat, qui doit statuer dans un délai de quinze jours. Il est ensuite procédé dans les conditions prévues à l'article 45.

Si le Parlement ne s'est pas prononcé dans un délai de soixante-dix jours, les dispositions du projet peuvent être mises en vigueur par ordonnance.

Si la loi de finances fixant les ressources et les charges d'un exercice n'a pas été déposée en temps utile pour être promulguée avant le début de cet exercice, le Gouvernement demande d'urgence au Parlement l'autorisation de percevoir les impôts et ouvre par décret les crédits se rapportant aux services votés.

Les délais prévus au présent article sont suspendus lorsque le Parlement n'est pas en session.

La Cour des comptes assiste le Parlement et le Gouvernement dans le contrôle de l'exécution des lois de finances.

**Article 47–1** – Le Parlement vote les projets de loi de financement de la sécurité sociale dans les conditions prévues par une loi organique.

Si l'Assemblée nationale ne s'est pas prononcée en première lecture dans le délai de vingt jours après le dépôt d'un projet, le Gouvernement saisit le Sénat qui doit statuer dans un délai de quinze jours. Il est ensuite procédé dans les conditions prévues à l'article 45.

Si le Parlement ne s'est pas prononcé dans un délai de cinquante jours, les dispositions du projet peuvent être mises en oeuvre par ordonnance.

Les délais prévus au présent article sont suspendus lorsque le Parlement n'est pas en session et, pour chaque assemblée, au cours des semaines où elle a décidé de ne pas tenir séance, conformément au deuxième alinéa de l'article 28.

La Cour des comptes assiste le Parlement et le Gouvernement dans le contrôle de l'application des lois de financement de la sécurité sociale.

**Article 48** – Sans préjudice de l'application des trois derniers alinéas de l'article 28, l'ordre du jour des assemblées comporte, par priorité et dans l'ordre que le Gouvernement a fixé, la discussion des projets de loi déposés par le Gouvernement et des propositions de loi acceptées par lui.

Une séance par semaine au moins est réservée par priorité aux questions des membres du Parlement et aux réponses du Gouvernement.

Une séance par mois est réservée par priorité à l'ordre du jour fixé par chaque assemblée.

**Article 49** – Le Premier ministre, après délibération du Conseil des ministres, engage devant l'Assemblée nationale la responsabilité du Gouvernement sur son programme ou éventuellement sur une déclaration de politique générale.

L'Assemblée nationale met en cause la responsabilité du Gouvernement par le vote d'une motion de censure. Une telle motion n'est recevable que si elle est signée par un dixième au moins des membres de l'Assemblée nationale. Le vote ne peut avoir lieu que quarante-huit heures après son dépôt. Seuls sont recensés les votes favorables à la motion de censure, qui ne peut être adoptée qu'à la majorité des membres composant l'Assemblée. Sauf dans le cas prévu à l'alinéa ci-dessous, un député ne peut être signataire de plus de trois motions de censure au cours d'une même session ordinaire et de plus d'une au cours d'une même session extraordinaire.

Le Premier ministre peut, après délibération du Conseil des ministres, engager la responsabilité du Gouvernement devant l'Assemblée nationale sur le vote d'un texte. Dans ce cas, ce texte est considéré comme adopté, sauf si une motion de censure, déposée dans les vingt-quatre heures qui suivent, est votée dans les conditions prévues à l'alinéa précédent.

Le Premier ministre a la faculté de demander au Sénat l'approbation d'une déclaration de politique générale.

**Article 50** – Lorsque l'Assemblée nationale adopte une motion de censure ou lorsqu'elle désapprouve le programme ou une déclaration de politique générale du Gouvernement, le Premier ministre doit remettre au président de la République la démission du Gouvernement.

**Article 51** – La clôture de la session ordinaire ou des sessions extraordinaires est de droit retardée pour permettre, le cas échéant, l'application de l'article 49. A cette même fin, des séances supplémentaires sont de droit.

## TITRE VI – Des traités et accords internationaux

**Article 52** – Le président de la République négocie et ratifie les traités.

Il est informé de toute négociation tendant à la conclusion d'un accord international non soumis à ratification.

**Article 53** – Les traités de paix, les traités de commerce, les traités ou accords relatifs à l'organisation internationale, ceux qui engagent les finances de l'Etat, ceux qui modifient les dispositions de nature législative, ceux qui sont relatifs à l'état des personnes, ceux qui comportent cession, échange ou adjonction de territoire, ne peuvent être ratifiés ou approuvés qu'en vertu d'une loi.

Ils ne prennent effet qu'après avoir été ratifiés ou approuvés.

Nulle cession, nul échange, nulle adjonction de territoire n'est valable sans le consentement des populations intéressées.

**Article 53–1** – La République peut conclure avec les Etats européens qui sont liés par des engagements identiques aux siens en matière d'asile et de protection des droits de l'homme et des libertés fondamentales des accords déterminant leurs compétences respectives pour l'examen des demandes d'asile qui leur sont présentées.

Toutefois, même si la demande n'entre pas dans leur compétence en vertu de ces accords, les autorités de la République ont toujours le droit de donner asile à tout étranger persécuté en raison de son action en faveur de la liberté ou qui sollicite la protection de la France pour un autre motif.

**Article 54** – Si le Conseil constitutionnel, saisi par le président de la République, par le Premier ministre, par le président de l'une ou l'autre assemblée ou par soixante députés ou soixante sénateurs, a déclaré qu'un engagement international comporte une clause contraire à la Constitution, l'autorisation de ratifier ou d'approuver l'engagement international en cause ne peut intervenir qu'après la révision de la Constitution.

**Article 55** – Les traités ou accords régulièrement ratifiés ou approuvés ont, dès leur publication, une autorité supérieure à celle des lois sous réserve, pour chaque accord ou traité, de son application par l'autre partie.

## TITRE VII – Le Conseil constitutionnel

**Article 56** – Le Conseil constitutionnel comprend neuf membres, dont le mandat dure neuf ans et n'est pas renouvelable. Le Conseil se renouvelle par tiers tous les trois ans. Trois des membres sont nommés par le président de la République, trois par le président de l'Assemblée nationale, trois par le président du Sénat.

En sus des neuf membres prévus ci-dessus, font de droit partie à vie du Conseil constitutionnel les anciens présidents de la République.

Le président est nommé par le président de la République. Il a voix prépondérante en cas de partage.

**Article 57** – Les fonctions de membre du Conseil constitutionnel sont incompatibles avec celles de ministre ou de membre du Parlement. Les autres incompatibilités sont fixées par une loi organique.

**Article 58** – Le Conseil constitutionnel veille à la régularité de l'élection du président de la République.

Il examine les réclamations et proclame les résultats du scrutin.

**Article 59** – Le Conseil constitutionnel statue, en cas de contestation, sur la régularité de l'élection des députés et des sénateurs.

**Article 60** – Le Conseil constitutionnel veille à la régularité des opérations de référendum et en proclame les résultats.

**Article 61** – Les lois organiques, avant leur promulgation, et les règlements des assemblées parlementaires, avant leur mise en application, doivent être soumis au Conseil constitutionnel, qui se prononce sur leur conformité à la Constitution.

Aux mêmes fins, les lois peuvent être déférées au Conseil constitutionnel, avant leur promulgation, par le président de la République, le Premier ministre, le président de l'Assemblée nationale, le président du Sénat ou soixante députés ou soixante sénateurs.

Dans les cas prévus aux deux alinéas précédents, le Conseil constitutionnel doit statuer dans le délai d'un mois. Toutefois, à la demande du Gouvernement, s'il y a urgence, ce délai est ramené à huit jours.

Dans ces mêmes cas, la saisine du Conseil constitutionnel suspend le délai de promulgation.

**Article 62** – Une disposition déclarée inconstitutionnelle ne peut être promulguée ni mise en application.

Les décisions du Conseil constitutionnel ne sont susceptibles d'aucun recours. Elles s'imposent aux pouvoirs publics et à toutes les autorités administratives et juridictionnelles.

**Article 63** – Une loi organique détermine les règles d'organisation et de fonctionnement du Conseil constitutionnel, la procédure qui est suivie devant lui, et notamment les délais ouverts pour le saisir de contestations.

## TITRE VIII – De l'autorité judiciaire

**Article 64** – Le président de la République est garant de l'indépendance de l'autorité judiciaire.

Il est assisté par le Conseil supérieur de la magistrature.

Une loi organique porte statut des magistrats.

Les magistrats du siège sont inamovibles.

**Article 65** – Le Conseil supérieur de la magistrature est présidé par le président de la République. Le ministre de la justice en est le vice-président de droit. Il peut suppléer le président de la République.

Le Conseil supérieur de la magistrature comprend deux formations, l'une compétente à l'égard des magistrats du siège, l'autre à l'égard des magistrats du parquet.

La formation compétente à l'égard des magistrats du siège comprend, outre le président de la République et le Garde des Sceaux, cinq magistrats du siège et un magistrat du parquet, un conseiller d'Etat, désigné par le Conseil d'Etat, et trois personnalités n'appartenant ni au Parlement ni à l'ordre judiciaire, désignées respectivement par le président de la République, le président de l'Assemblée nationale et le président du Sénat.

La formation compétente à l'égard des magistrats du parquet comprend, outre le président de la République et le Garde des Sceaux, cinq magistrats du parquet et un magistrat du siège, le conseiller d'Etat et les trois personnalités mentionnées à l'alinéa précédent.

La formation du Conseil supérieur de la magistrature compétente à l'égard des magistrats du siège fait des propositions pour les nominations des magistrats du siège à la Cour de cassation, pour celles de premier président de Cour d'appel et pour celles de président de tribunal de grande instance. Les autres magistrats du siège sont nommés sur son avis conforme.

Elle statue comme conseil de discipline des magistrats du siège. Elle est alors présidée par le premier président de la Cour de cassation.

La formation du Conseil supérieur de la magistrature compétente à l'égard des magistrats du parquet donne son avis pour les nominations concernant les magistrats du parquet, à l'exception des emplois auxquels il est pourvu en Conseil des ministres.

Elle donne son avis sur les sanctions disciplinaires concernant les magistrats du parquet. Elle est alors présidée par le procureur général près la Cour de cassation.

Une loi organique détermine les conditions d'application du présent article.

**Article 66** – Nul ne peut être arbitrairement détenu.

L'autorité judiciaire, gardienne de la liberté individuelle, assure le respect de ce principe dans les conditions prévues par la loi.

## TITRE IX – La Haute cour de justice

**Article 67** – Il est institué une Haute cour de justice.

Elle est composée de membres élus, en leur sein et en nombre égal, par l'Assemblée nationale et par le Sénat après chaque renouvellement général ou partiel de ces assemblées. Elle élit son président parmi ses membres.

Une loi organique fixe la composition de la Haute Cour, les règles de son fonctionnement ainsi que la procédure applicable devant elle.

**Article 68** – Le président de la République n'est responsable des actes accomplis dans l'exercice de ses fonctions qu'en cas de haute trahison. Il ne peut être mis en accusation que par les deux assemblées statuant par un vote identique au scrutin public et à la majorité absolue des membres les composant; il est jugé par la Haute cour de justice.

## TITRE X – De la responsabilité pénale des membres du Gouvernement

**Article 68–1** – Les membres du Gouvernement sont pénalement responsables des actes accomplis dans l'exercice de leurs fonctions et qualifiés crimes et délits au moment où ils ont été commis.

Ils sont jugés par la Cour de justice de la République.

La Cour de justice de la République est liée par la définition des crimes et délits ainsi que par la détermination des peines telles qu'elles résultent de la loi.

**Article 68–2** – La Cour de justice de la République comprend quinze juges: douze parlementaires élus, en leur sein et en nombre égal, par l'Assemblée nationale et par le Sénat après chaque renouvellement général ou partiel de ces assemblées et trois magistrats du siège à la Cour de cassation, dont l'un préside la Cour de justice de la République.

Toute personne qui se prétend lésée par un crime ou un délit commis par un membre du Gouvernement dans l'exercice de ses fonctions peut porter plainte auprès d'une commission des requêtes.

Cette commission ordonne soit le classement de la procédure, soit sa transmission au procureur général près la Cour de cassation aux fins de saisine de la Cour de justice de la République.

Le procureur général près la Cour de cassation peut aussi saisir d'office la Cour de justice de la République sur avis conforme de la commission des requêtes.

Une loi organique détermine les conditions d'application du présent article.

**Article 68–3** – Les dispositions du présent titre sont applicables aux faits commis avant son entrée en vigueur.

## TITRE XI – Le Conseil économique et social

**Article 69** – Le Conseil économique et social, saisi par le Gouvernement, donne son avis sur les projets de loi, d'ordonnance ou de décret ainsi que sur les propositions de loi qui lui sont soumis.

Un membre du Conseil économique et social peut être désigné par celui-ci pour exposer devant les assemblées parlementaires l'avis du Conseil sur les projets ou propositions qui lui ont été soumis.

**Article 70** – Le Conseil économique et social peut être également consulté par le Gouvernement sur tout problème de caractère économique ou social. Tout plan ou tout projet de loi de programme à caractère économique ou social lui est soumis pour avis.

**Article 71** – La composition du Conseil économique et social et ses règles de fonctionnement sont fixées par une loi organique.

## TITRE XII – Des collectivités territoriales

**Article 72** – Les collectivités territoriales de la République sont les communes, les départements, les territoires d'outre-mer. Toute autre collectivité territoriale est créée par la loi.

Ces collectivités s'administrent librement par des conseils élus et dans les conditions prévues par la loi.

Dans les départements et les territoires, le délégué du Gouvernement a la charge des intérêts nationaux, du contrôle administratif et du respect des lois.

**Article 73** – Le régime législatif et l'organisation administrative des départements d'outre-mer peuvent faire l'objet de mesures d'adaptation nécessitées par leur situation particulière.

**Article 74** – Les territoires d'outre-mer de la République ont une organisation particulière tenant compte de leurs intérêts propres dans l'ensemble des intérêts de la République.

Les statuts des territoires d'outre-mer sont fixés par des lois organiques qui définissent, notamment, les compétences de leurs institutions propres, et modifiés, dans la même forme, après consultation de l'assemblée territoriale intéressée.

Les autres modalités de leur organisation particulière sont définies et modifiées par la loi après consultation de l'assemblée territoriale intéressée.

**Article 75** – Les citoyens de la République qui n'ont pas le statut civil de droit commun, seul visé à l'article 34, conservent leur statut personnel tant qu'ils n'y ont pas renoncé.

**Article 76** – [Abrogé par la loi const. n° 95–880 du 4 août 1995].

## TITRE XIII – De la communauté

[Titre abrogé par la loi const. n° 95–880 du 4 août 1995].

## TITRE XIV – Des accords d'association

**Article 88** – La République peut conclure des accords avec des Etats qui désirent s'associer à elle pour développer leurs civilisations.

## TITRE XV – Des Communautés européennes et de l'Union européenne

**Article 88–1** – La République participe aux Communautés européennes et à l'Union européenne, constituées d'Etats qui ont choisi librement, en vertu des traités qui les ont instituées, d'exercer en commun certaines de leurs compétences.

**Article 88–2** – Sous réserve de réciprocité, et selon les modalités prévues par le Traité sur l'Union européenne signé le 7 février 1992, la France consent aux transferts de compétences nécessaires à l'établissement de l'union économique et monétaire européenne ainsi qu'à la détermination des règles relatives au franchissement des frontières extérieures des Etats membres de la Communauté européenne.

**Article 88–3** – Sous réserve de réciprocité, et selon les modalités prévues par le Traité sur l'Union européenne signé le 7 février 1992, le droit de vote et d'éligibilité aux élections municipales peut être accordé aux seuls citoyens de l'Union résidant en France. Ces citoyens ne peuvent exercer les fonctions de maire ou d'adjoint ni participer à la désignation des électeurs sénatoriaux et à l'élection des sénateurs. Une loi organique votée dans les mêmes termes par les deux assemblées détermine les conditions d'application du présent article.

**Article 88–4** – Le Gouvernement soumet à l'Assemblée nationale et au Sénat, dès leur transmission au Conseil des Communautés, les propositions d'actes communautaires comportant des dispositions de nature législative.

Pendant les sessions ou en dehors d'elles, des résolutions peuvent être votées dans le cadre du présent article, selon des modalités déterminées par le règlement de chaque assemblée.

## TITRE XVI – De la révision

**Article 89** – L'initiative de la révision de la Constitution appartient concurremment au président de la République sur proposition du Premier ministre et aux membres du Parlement.

Le projet ou la proposition de révision doit être voté par les deux assemblées en termes identiques. La révision est définitive après avoir été approuvée par référendum.

Toutefois, le projet de révision n'est pas présenté au référendum lorsque le président de la République décide de le soumettre au Parlement convoqué en Congrès; dans ce cas, le projet de révision n'est approuvé que s'il réunit la majorité des trois cinquièmes des suffrages exprimés. Le bureau du Congrès est celui de l'Assemblée nationale.

Aucune procédure de révision ne peut être engagée ou poursuivie lorsqu'il est porté atteinte à l'intégrité du territoire.

La forme républicaine du Gouvernement ne peut faire l'objet d'une révision.

# Glossary

**A**

| | |
|---|---|
| à charge d'appel | open to appeal |
| à huis clos | in camera |
| à perpétuité | life, for life |
| à' temps | fixed term |
| à titre exceptionnel | in exceptional cases |
| aborder | to discuss, tackle |
| accord (m) | agreement |
| accru (infinitive: accroître) | increased, enhanced |
| accusatoire | adversarial |
| accusé(e) | accused, defendant |
| acte d'huissier (m) | document served by the court bailiff |
| actes (m) d'information | means of investigation |
| acte (m) de procédure | procedural documentation, pleadings |
| acte (m) exécutoire | enforceable instrument/deed |
| acte (m) instrumentaire | instrument |
| acte (m) signifié par huissier | official document served by the court bailiff |
| action (f) civile | civil action |
| action (f) en divorce | divorce proceedings |
| action (f) en justice | *right to bring and defend an action* |
| action (f) publique | public prosecution |
| actuel | immediate |
| administration (f) des preuves | presentation of evidence |
| affaire (f) | case |
| agent (m) de police judiciaire | police officer |
| alinéa (m) | paragraph |
| aménagement (m) de | arrangements for |
| amende (f) | fine |
| amphithéâtre (m) | lecture theatre |
| ancien droit (m) | *pre-revolutionary law* |
| animer | to lead (a team) |
| appel (m) | appeal (on facts and/or law) |
| appel (m) des causes | n.t. (nearest English equivalent: pre-trial hearing) |
| arbitrage (m) juridique | judicial arbitration |
| arrestation (f) | arrest |
| arrêt (m) | judgment (of higher court) |

| | |
|---|---|
| arrêt (m) de cassation | n.t. (*decision to quash a judgment of the lower courts*) |
| arrêt (m) de principe | *case stating a legal principle* |
| arrêt (m) de rejet | *final decision rejecting an appeal on points of law* |
| arrêt (m) définitif | *decision open to appeal on law rather than fact* |
| arrêté (m) | order, decision |
| Assemblée (f) nationale | National Assembly, *lower chamber of Parliament* |
| assemblée (f) parlementaire | parliamentary assembly |
| assemblée (f) plénière | *full sitting of the Cour de cassation* |
| assignation (f) | writ, summons |
| assigné | summoned |
| assigner | to sue, to summon |
| assistance (f) | advocacy |
| attendu (m) | *reason adduced for a judgment* |
| attendu que | whereas, given that |
| attribution (f) administrative | administrative power, competence |
| attributions (f) | powers |
| au premier tour | at the first ballot |
| au sein de | within |
| au suffrage indirect | by indirect suffrage |
| au suffrage universel direct | by direct universal suffrage |
| audience (f) | court hearing, hearing |
| audience (f) des plaidoiries | hearing the action, hearing the case |
| audition (f) des témoins | hearing of witnesses |
| autorité (f) judiciaire | judiciary, judicial power |
| aux pouvoirs renforcés | with increased powers |
| aux torts de | against |
| auxiliaire (m) de justice | officer of the court |
| avant . . . ans révolus | before turning . . . |
| avènement (m) | advent |
| avertissement (m) | notice to attend |
| avis (m) | opinion, formal opinion |
| avocat(e) | n.t. (nearest English equivalent: barrister) |
| avocat(e) stagiaire | trainee lawyer |
| avoir force authentique | to have been authenticated |
| avoir force exécutoire | to be enforceable |
| avoir force de précédent | to constitute a precedent |
| avoir intérêt pour agir | to have sufficient interest to bring an action |
| avoir qualité pour agir | to have authority to bring an action |
| avoir un caractère réglementaire | to be of a regulatory nature |
| avoué (m) près les Cours d'appel | n.t. |

**B**

| | |
|---|---|
| barre (f) | court (referring to the bar at the front of the court) |
| barreau (m) | n.t. (fulfils a similar role to the English "Bar") |
| bâtonnier (m) | n.t. (fulfils a similar role to the "President of the Bar") |
| bicaméral | bicameral |
| bien fondé (m) | validity |
| bien immobilier (m) | immovable property, real property |
| bien ou mal fondé | well or ill-founded |
| bloc (m) de constitutionnalité | *ensemble of constitutional rules* |
| branche (f) | limb, branch |

**C**

| | |
|---|---|
| cabinet d'avocats (m) | law practice, chambers |
| le cas échéant | if needed, if considered necessary, where necessary |
| casser | to quash (a judgment) |
| cession (f) de brevet | transfer of a patent |
| chambre (f) correctionnelle | Criminal Division (of the *tribunal correctionnel, tribunal de grande instance* or *Cour d'assises*) |
| chambre (f) criminelle | the Criminal Division (of the *Cour de cassation*) |
| chambre d'accusation | n.t. |
| chambre (f) mixte | joint bench |
| chambre (f) sociale | Social Division |
| charge (f) | practice |
| charges (f) | proof |
| chef (m) de l'Etat | (French) Head of State |
| circuit (m) long | *long procedure* (civil courts) |
| circuit (m) court | *short procedure* (civil courts) |
| citation (f) directe | summons |
| citer | to quote, cite |
| citer à comparaître | to summon |
| clôture (f) des débats | closing of oral submissions |
| Code (m) civil | Civil Code |
| Code (m) de commerce | Commercial Code |
| Code (m) des douanes | Customs Code |
| Code (m) d'instruction criminelle | Code of Criminal Procedure |
| Code (m) de procédure civile | Code of Civil Procedure |
| Code (m) pénal | Criminal Code |
| coercitif | coercive |
| cohabitation (f) | n.t. |
| Comité (m) constitutionnel | n.t. |

| | |
|---|---|
| commentaire (m) d'arrêt | commentary on a judgment |
| commissaire (m) du gouvernement | n.t. (sometimes translated as: Government Commissioner) |
| Commission (f) d'instruction | n.t. (*Committee responsible for opening a judicial investigation*) |
| commission (f) des requêtes | n.t. |
| comparution (f) | court attendance |
| comparution (f) immédiate | immediate court attendance |
| comparution (f) volontaire | voluntary court attendance |
| compétence (f) d'attribution | prescribed powers, designated jurisdiction, designated competence |
| compétence (f) juridictionnelle | judicial powers |
| comptable (m) public | n.t. (*state accountant responsible for recovery and payments of debts owed by public authorities and for administering the public purse*) |
| conclusions (f) | submissions, findings |
| concours (m) | competitive examination |
| concubin(e) | live-in partner |
| condamné(e) | convicted person |
| confier à | to entrust with |
| conflit (m) de compétence | jurisdictional dispute |
| conflit (m) négatif | n.t. |
| conflit (m) positif | n.t. |
| conseil (m) | advice |
| Conseil (m) constitutionnel | n.t. (sometimes translated as: Constitutional Court) |
| Conseil (m) d'Etat | n.t. |
| Conseil (m) de l'Ordre | n.t. (nearest English equivalent: Bar Council) |
| Conseil (m) de prud'hommes | *industrial conciliation tribunal* |
| Conseil (m) des ministres | n.t. (nearest equivalent: French cabinet) |
| conseil (m) juridique | legal adviser |
| Conseil (m) supérieur de la Magistrature | n.t. |
| conseiller (m) | appeal judge, senior judge |
| conseiller (m) général | departmental councillor |
| conseiller (m) régional | regional councillor |
| conserver les moyens de preuve | to safeguard the evidence |
| considérant que | considering that, in view of |
| constituant (m) | constitutional legislator |
| constitution (f) de partie civile | *independent action for damages* |
| consultatif | advisory |
| contentieux (m) d'annulation | action for annulment |
| contentieux (m) de pleine juridiction | action for damages |

| | |
|---|---|
| contentieux (m) électoral | *litigation arising from the electoral process* |
| contestation (f) | dispute, objection |
| contradiction (f) | debate |
| contradictoire | *giving due hearing to the parties* |
| contravention (f) | minor offence |
| contreseing (m) | counter-signature |
| contrôle (m) juridictionnel | judicial control |
| convocation (f) par procès-verbal | *formal order to attend* |
| corps (m) du devoir | main body of the essay |
| coupable | guilty |
| Cour (f) administrative d'appel | Administrative Court of Appeal |
| Cour (f) d'appel | court of appeal |
| Cour (f) d'assises | n.t. |
| Cour (f) d'assises des mineurs | n.t. |
| Cour (f) de cassation | n.t. |
| Cour (f) des comptes | Audit Court |
| Cour (f) de justice de la République | n.t. |
| Cour (f) de Justice des Communautés Européennes | European Court of Justice |
| cours (m) magistral | lecture |
| coutumes (f) germaniques | Germanic customs |
| crime (m) | serious crime |
| culpabilité (f) | guilt |
| cumul (m) des mandats | plurality |

**D**

| | |
|---|---|
| d'office | automatically |
| d'usage | usual |
| dans un temps très voisin | within a very short space of time |
| de droit | as of right |
| de fond | fundamental |
| de portée limitée | of limited scope |
| de tout fait | of any act |
| débats (m) | arguments |
| décision (f) | judgment, decision, presidential edict |
| décision (f) de condamnation | conviction and sentencing |
| décision (f) d'espèce | decision on the facts |
| décision (f) de mise en vigueur | decision to put into effect |
| décision (f) de non-lieu | *decision that there is no case to answer* |
| décision (f) de relaxe | acquittal |
| décision (f) de renvoi | *decision to send the defendant for trial* |
| Déclaration (f) des droits de l'homme et du citoyen | Declaration of the Rights of Man (modern translation: Declaration of Human and Civil Rights) |

| | |
|---|---|
| déclencher | to set in motion |
| déclencher l'action publique | to institute criminal proceedings |
| se décomposer en | to split into |
| décret (m) | decree |
| défense (f) au fond | *defence based on the merits of the case* |
| défendeur (m) | defendant |
| défunt(e) | deceased (n) |
| dégager | to extract |
| délibérer | to deliberate, to debate |
| délit (m) | major offence |
| demande (f) | claim |
| demande (f) additionnelle | further claim |
| demande (f) de la partie civile | *application by the victim or his or her representative* |
| demande (f) en intervention | *third party notice (of a claim made by or against a third party)* |
| demande (f) en réparation du préjudice | claim for damages |
| demande (f) incidente | annexed claim |
| demande (f) introductive d'instance | statement of claim |
| demande (f) reconventionnelle | counterclaim |
| demandeur (m)/demanderesse (f) | plaintiff, appellant, applicant |
| demandeur (m)/demanderesse (f) en indemnisation | claimant for damages |
| démission (f) | resignation |
| déni (m) de justice | miscarriage of justice |
| dénonciation (f) de | informing on, denunciation of |
| se dépêcher sur les lieux | to hasten to the scene of a crime |
| dépôt (m) de plainte | (formal) registering of a complaint |
| député (m) | deputy, *member of the National Assembly* |
| déroulement (m) du scrutin | conduct of the election |
| déroulement (m) du procès | trial proceedings |
| dès | upon, from the moment of |
| désormais | henceforth, from now on |
| détention (f) | detention |
| détention (f) provisoire | remand in custody |
| détournement (m) de fonds | embezzlement, misappropriation of funds |
| discernement (m) | ability to reason |
| discours (m) | speech |
| disposer d'une compétence normative de droit commun | *to have general powers to make regulations* |
| disposer du pouvoir réglementaire | to have regulatory power |
| dispositif (m) | court's finding (stated at the end of the decision) |
| disposition (f) | provision |

| | |
|---|---|
| disposition (f) législative | legislative provision |
| dissolution (f) | dissolution |
| doctrine (f) | legal writing (*the body of opinion on legal matters expressed in books and articles*) |
| dommage (m) | damage |
| dommages-intérêts (m) | damages |
| domaine (m) de la loi | legislative domain, *field of parliamentary legislation* |
| domaine (m) du règlement | regulatory domain, *field of government regulations* |
| domaine (m) législatif | legislative domain, *field of parliamentary legislation* |
| domaine (m) réglementaire | regulatory domain, *field of government regulations* |
| donner un avis consultatif | to give an advisory opinion |
| dossier (m) de plaidoiries | written submissions |
| dresser un acte authentique/un acte notarié | to draw up an authenticated and enforceable instrument/deed |
| dresser un constat | to draw up an affidavit |
| droit (m) communautaire | community law |
| droit (m) d'agir | right to bring an action |
| droit (m) d'aînesse | primogeniture (*law whereby an estate passes to the eldest male*) |
| droit (m) d'association | right of association |
| droit (m) de faire grève | right to strike |
| droit (m) de saisine | right to make an application |
| droit (m) du travail | employment law |
| droit (m) fiscal | tax law |
| droit (m) intermédiaire | intermediate law |
| droit (m) international | international law |
| droit (m) interne | domestic law |
| droit (m) romain | Roman law |

**E**

| | |
|---|---|
| ébaucher | to outline, to sketch |
| édicté | drawn up |
| s'efforcer de | to endeavour to |
| élaboration (f) de la loi | law-making |
| élection (f) partielle | by-election |
| éléments (m) de preuve | pieces of evidence |
| élu (infinitive: élire) | elected |
| élus par leurs pairs | elected by their peers |
| empiètement (m) du Parlement | parliamentary infringement |
| en fonction de | according to |
| en matière contraventionnelle | for minor offences, *in cases involving minor offences* |

| | |
|---|---|
| en matière correctionnelle | for major offences, *in cases involving major offences* |
| en premier et dernier ressort | *not open to appeal* |
| en revanche | on the other hand |
| en tout état de cause | at any point, in any case |
| en vertu de | by virtue of |
| en vigueur | in force |
| encourir des poursuites judiciaires | to be exposed to legal proceedings |
| engendrer | to engender, to generate |
| énoncer | to state |
| enquête (f) | investigation |
| enquête (f) de flagrance | expedited investigation (with extended powers) |
| enquête (f) préliminaire | ordinary investigation (without special powers) |
| enrôler | to list (a case) |
| entamer | to initiate |
| entrer dans la compétence de | to fall within the remit of |
| escroquerie (f) | fraud |
| étatique | derived from the state |
| être assigné à comparaître | to be summoned |
| être assigné en divorce | to be sued for divorce |
| être débouté de sa demande | to have one's case rejected |
| être poursuivi | to be prosecuted |
| être responsable devant | to be answerable to |
| être saisi d'un pourvoi (en cassation) | *to have an appeal referred on points of law only* |
| être tenu de | to be legally obliged to |
| étude (f) | office (of a notaire) |
| éventuel | hypothetical |
| examen (m) de classement | *examination ranking the student according to the mark awarded* |
| exception (f) d'inconstitutionnalité | *plea that an Act breaches the Constitution* |
| exception (f) de procédure | *plea based on procedural irregularity* |
| exécutif (m) | executive |
| exécution (f) forcée | compulsory execution |
| exécutoire | enforceable |
| exercer l'action publique | to bring a prosecution |
| exercer un droit de garde | to act as legal guardians |
| exercer un ascendant | to exert (undue) influence |
| exercer une profession libérale | to practise a profession (in private practice) |

**F**

| | |
|---|---|
| faire droit à | to accept |
| faire grâce | *to grant a presidential pardon* |

| | |
|---|---|
| faire grief à | to attack |
| faire une reconstitution de l'infraction | to carry out a reconstruction of the crime |
| fiche (f) d'arrêt | case summary |
| fin (f) de non-recevoir | striking out of a case |
| formation (f) collégiale | *sitting of at least three judges* |

### G

| | |
|---|---|
| garant (m) | guarantor, guardian |
| garde à vue (f) | police custody |
| Garde (m) des Sceaux | Minister of Justice |
| Gaule (f) | Gaul |
| Gouvernement (m) Général | Government House |
| grande partie (f) | main section |
| greffe (m) | court office |
| greffier (m) | clerk of the court |

### H

| | |
|---|---|
| Haute cour (f) de justice | n.t. |
| hiérarchie (f) des normes juridiques | hierarchy of legal rules |
| honorifique | honorary |
| huissier (m) de justice | n.t. (sometimes translated as: court bailiff, usher) |

### I

| | |
|---|---|
| idée (f) directrice | main theme |
| s'immiscer dans | to interfere with |
| immixtion (f) | interference |
| s'implanter | to become established |
| impliquer | to imply |
| imputation (f) | existence |
| indemniser | to compensate |
| indices (m) graves | serious incriminating evidence |
| infirmer le jugement | to reject the decision |
| infraction (f) | offence |
| infraction (f) flagrante | *offence giving rise to expedited investigation* |
| infraction (f) pénale | criminal offence |
| injonction (f) | injunction |
| inquisitoire | inquisitorial |
| inscription (f) de faux | plea of forgery |
| instance (f) juridictionnelle | court |
| instruction (f) | *judicial investigation* |
| interjeter appel | to lodge an appeal |
| interrogatoire (m) | cross-examination |
| intervention (f) forcée | n.t. (*joining of a third party to the proceedings*) |

| | |
|---|---|
| intervention (f) volontaire | n.t. (*a third party joining the proceedings*) |
| intime conviction (f) | personal conviction |
| intituler | give a heading to |
| irresponsable | non-accountable |

**J**

| | |
|---|---|
| jeu (m) démocratique | democratic process |
| Journal officiel | n.t. (sometimes translated as: Official Journal) |
| juge (m) | judge |
| juge (m) arbitre | *judge acting as an arbitrator* |
| juge (m) consulaire | *lay judge in the commercial court* |
| juge (m) d'instruction | n.t. (*judge in charge of the judicial investigation*; sometimes translated as: examining magistrate or investigating judge) |
| juge (m) de la mise en état | n.t. (sometimes translated as: preparatory judge) |
| juge (m) de première instance | court of first instance |
| juge (m) du droit | *judge who considers only points of law* |
| juge (m) du fond | *judge who considers both the facts and the law* |
| juge (m) électoral | judge of election disputes |
| juge (m) rapporteur | n.t. (sometimes translated as: reporting judge) |
| jugement (m) | judgment, decision (generally in lower courts) |
| jugement (m) avant dire droit | interim, provisional decision |
| jugement (m) définitif | definitive judgment |
| jugement (m) sur le fond | *a decision on the facts and the law* |
| juré(e) | juror |
| juridiction (f) à juge unique | *court presided over by a single judge* |
| juridiction (f) collégiale | *court presided over by a minimum of three judges who deliver a single judgment* |
| juridiction (f) de droit commun | court of general jurisdiction |
| juridiction (f) d'exception | specialised court |
| juridictions (f) d'instruction | *courts overseeing the investigation* |
| juridiction (f) de jugement | trial court |
| juridiction (f) de première instance | court of first instance |
| juridiction (f) de renvoi | *court to which a case is referred after a successful appeal on the law* |
| juridiction (f) non rattachée | *court outside the ordinary and administrative court system* |
| juridiction (f) pénale | criminal court |

| | |
|---|---|
| juridiction (f) répressive | criminal court |
| juridiction (f) spécialisée | specialised court |
| juridictionnel | judicial |
| jurisprudence (f) | case law |
| jurisprudence (f) constante | settled case law |
| jurisprudence (f) controversée | conflicting case law |
| juriste | lawyer |
| jury (m) | jury |
| justiciable (m) | litigant |

**L**

| | |
|---|---|
| laïcité (f) | secularity |
| lecture (f) | reading |
| législateur (m) | Parliament, legislator |
| lésé | prejudiced |
| liberté (f) contractuelle | freedom to enter into a contract |
| licenciement (m) abusif | unfair dismissal |
| lié par | bound by |
| lien (m) de droit | legal relationship |
| litige (m) | legal dispute, litigation |
| loi (f) | Act, Act of Parliament, statute, (piece of) legislation |
| loi (f) d'habilitation | enabling Act of Parliament |
| loi (f) ordinaire | Act, statute of Parliament |
| loi (f) organique | n.t. |
| loi (f) parlementaire | Act, statute of Parliament |
| loi (f) référendaire | *statute passed by means of a referendum* |
| lors des scrutins | at the time of the elections |

**M**

| | |
|---|---|
| magistrat (m) | judge |
| magistrat (m) de carrière | professional judge |
| magistrature (f) | n.t. (can sometimes be translated as: judiciary) |
| magistrature (f) assise | judiciary, bench |
| magistrature (f) debout | n.t. (sometimes translated as: public prosecutor's office or the prosecution) |
| magistrature (f) du parquet | n.t. (sometimes translated as: public prosecutor's office or the prosecution) |
| magistrature (f) du siège | judiciary, bench |
| maire (m) | mayor |
| majorité (f) absolue | absolute majority |
| majorité (f) relative | relative majority |
| mandant (m) | mandator |

| | |
|---|---|
| mandat (m) | mandate |
| mandat (m) *ad litem* | automatic mandate |
| mandat (m) parlementaire | parliamentary mandate |
| manifestation (f) de la vérité | establishing the truth |
| mémoire (m) | dissertation, statement of case |
| mémoire (m) en duplique | *applicant's statement in reply* |
| mémoire (m) en réplique | *respondent's statement in reply* |
| mention (f) | mark, grade, specialisation in |
| mesures (f) provisoires | interim measures |
| mettre au point | to finalise |
| mineur (m) | minor |
| ministère (m) public | n.t. (can sometimes be translated as: public prosecutor's office or the prosecution) |
| ministre (m) d'Etat | *senior minister* |
| ministre (m) délégué | n.t. (equivalent to British Minister of State) |
| ministre (m) à portefeuille | minister with portfolio (equivalent to British Secretary of State) |
| minute (f) | original of deed or judgment |
| mis en délibéré | discussed (by trial judges) |
| mise au rôle (f) | listing of a case |
| mise en accusation (f) | bringing charges |
| mise en état (f) | *preparatory phase (of case)* |
| mise en examen (f) | *charging of the suspect* |
| motif (m) | ground, reason |
| motivation (f) | legal reasoning |
| moyens (m) | legal reasons |
| moyens (m) de défense | grounds for the defence |
| moyens (m) de droit | points of law |
| moyens (m) de fait | issues of fact |

**N**

| | |
|---|---|
| navette (f) | n.t. |
| né | in existence, born |
| ne disposer que d'une compétence d'attribution | to have limited powers |
| nomination (f) | appointment |
| nommé | nominated, proposed, appointed |
| norme (f) communautaire | community law |
| normes (f) juridiques | legal rules |
| notaire (m) | n.t. |
| notamment | in particular |
| nul n'est censé ignorer la loi | *ignorance of the law is no defence* |

**O**

| | |
|---|---|
| octroyer | to grant |
| office (m) | practice |
| officier (m) ministériel | n.t. |
| officier (m) de police judiciaire | senior police officer |
| officier (m) public | n.t. |
| opportunité (f) | appropriateness |
| oralité (f) | oral character |
| ordonnance (f) | n.t. (sometimes translated as: ordinance *or* statutory instrument) |
| ordonnance (f) de clôture | closing order |
| ordonnancement (m) juridique | legal hierarchy |
| ordre (m) | n.t. (fulfils a similar role to the English "Bar") |
| ordre (m) administratif | administrative system |
| ordre (m) judiciaire | *civil and criminal system* |
| organe (m) juridictionnel | judicial body |

**P**

| | |
|---|---|
| par ces motifs | for these reasons |
| par la voie de | by means of |
| par voie d'action | by means of legal action |
| par voie d'exception d'inconstitutionnalité | by means of raising a defence of unconstitutionality |
| parquet (m) | n.t. (sometimes translated as: public prosecutor's office or the prosecution) |
| partiel (m) | mid-sessional examination |
| passer outre | to ignore |
| patrimoine (m) immobilier | inherited real property, inheritance |
| pays (m) de *common law* | common law country |
| pays (m) de coutumes | land of customary law |
| pays (m) de droit écrit | land of written law |
| peine (f) | sentence |
| peine de mort (f) | death penalty |
| pénal | criminal |
| perquisition (f) | search of property |
| personne (f) mise en examen | accused (n) |
| personne (f) physique | natural person |
| personnalité (f) de premier plan | key figure |
| pièce (f) | document |
| plaider | to plead |
| plaideur (m) | litigant |
| plaidoirie (f) | oral submission, plea, defence speech |
| plan (m) | plan (of legal essay) |
| pleins pouvoirs (m) | full (emergency) powers |
| police (f) administrative | crime prevention police |

|  |  |
|---|---|
| police (f) judiciaire | criminal investigation police |
| porter atteinte à | to strike at |
| porter plainte | to report an offence |
| possibilité (f) d'auto-saisine | self-empowerment |
| postérieur à | after |
| postulation (f) | *acting on behalf of a client* |
| pour se faire contrepoids | to counterbalance one another |
| poursuite (f) | prosecution, *decision to bring charges* |
| poursuivre | to bring charges |
| poursuivre au pénal | to prosecute |
| pourvoi (m) | appeal |
| pourvoi (m) en cassation | *appeal on point of law only* |
| pouvoir (m) exécutif | executive, executive power |
| pouvoir (m) judiciaire | judicial power |
| pouvoir (m) partagé | shared power |
| pouvoir (m) propre | sole power |
| pouvoirs (m) publics | authorities |
| préambule (m) | Preamble |
| préfet (m) | Prefect, *chief administrative officer of a French 'département'* |
| préjudice (m) | loss, harm, damage |
| prendre d'assaut | to storm |
| présenter un caractère délictueux | to constitute a major offence |
| prétention (f) | claim |
| prêter serment | to take an oath |
| preuves (f) | evidence |
| prévenu(e) | defendant |
| primauté (f) | supremacy |
| primordial | of paramount importance |
| principe (m) de la séparation des pouvoirs | principle of the separation of powers |
| principe (m) général du droit | general principle of law |
| principes (m) fondamentaux reconnus par les lois de la République | fundamental principles recognised by the laws of the Republic |
| prise (f) de connaissance | awareness |
| procéder à la rectification de | to correct |
| procédés (m) | procedures |
| procédure (f) d'irrecevabilité | *procedure opposing legislation outside the remit of Parliament* |
| procédure (f) pénale | criminal procedure |
| procès (m) | trial |
| procès-verbal (m) | statement |
| procureur (m) de la République | senior public prosecutor |
| procureur (m) général | public prosecutor |
| profane | lay (adj) |

| | |
|---|---|
| professeur (m) agrégé | n.t. (title awarded following successful completion of the *agrégation*, a national selection process for senior academics) |
| projet (m) d'élaboration | drafting |
| projet (m) de décision | draft decision |
| projet (m) de loi | government Bill |
| promulgation (f) | promulgation (*publication that brings into force*) |
| promulguer | to promulgate, to pass |
| prononcé (m) | declaration |
| se prononcer | to pass judgment, decide |
| proposition (f) de loi | private member's Bill |

**R**

| | |
|---|---|
| se rallier à | to be in agreement with |
| rapport (m) de stage | report on a work placement |
| ratifié | ratified |
| recenser | to summarise |
| recevable | admissible |
| recherche (f) de paternité naturelle | establishing paternity |
| réclamation (f) | complaint |
| réclusion (f) | imprisonment |
| reconnaître le bien fondé de la demande | to accept the grounds of the application |
| recours (m) | action (administrative), appeal |
| recours (m) pour excès de pouvoir | application for judicial review |
| recrutement (m) latéral | internal system of recruitment |
| recueil (m) | law report |
| rédacteur (m) | drafter, writer |
| rééligible | eligible to stand again |
| réexaminer en fait et en droit | *to rehear the case on its facts and points of law* |
| régir | to govern |
| règle (f) | rule |
| règle (f) de droit | legal rule |
| règle (f) du précédent | rule of precedent |
| règle (f) impérative | mandatory rule |
| règle (f) supplétive | non-mandatory rule |
| règlement (m) | regulation |
| règlement (m) autonome | autonomous regulation |
| règlement (m) d'application | implementing regulation |
| rendre un arrêt | to hand down a decision, to give a decision |
| rendre une décision | to hand down a decision, to give a judgment |
| répartition (f) | separation |

| | |
|---|---|
| représentation (f) | representation, *acting as client's agent* |
| requérant(e) | applicant |
| requête (f) introductive d'instance | application (commencing the action) |
| réquisitoire (m) | submission (by the prosecution) |
| réquisitoire (m) introductif | *application for judicial investigation* |
| résolution (f) de mise en accusation | decision to bring charges |
| responsabilité (f) pénale | criminal liability |
| retenir | to acknowledge |
| revirement (m) | overturning, reversal, overruling |

**S**

| | |
|---|---|
| saisie (f) | seizure |
| saisine (f) | *submission of a case to a court* |
| saisir | to refer, submit a case to |
| sanction (f) | sanction |
| scrutin (m) majoritaire à deux tours | *election, in up to two ballots, requiring a majority vote* |
| secrétaire d'Etat (m) | n.t. (equivalent to British junior minister, Parliamentary Under-Secretary) |
| secrétariat-greffe (m) | court office |
| section (f) administrative | Administrative Division |
| section (f) du contentieux | Litigation Division |
| section (f) du rapport et des études | Report and Research Division |
| sénateur (m) | senator |
| septennat (m) | seven-year mandate |
| siéger | to sit |
| signifier | to serve notice of |
| signifier à | to serve on |
| sous-partie (f) | subsection |
| sous-section (f) | section |
| sous-sous-partie (f) | sub-subsection |
| sous peine de forfaiture | with the sanction of criminal liability |
| soutenance (f) de la thèse | viva |
| souveraineté (f) nationale | national sovereignty |
| stage (m) | work placement |
| statuer sur | to rule on |
| subordonné à | subject to |
| suffrages (m) exprimés | votes cast |
| suite (f) | sequence |
| suites (f) à donner | action to be taken |
| suivre une scolarité | to attend a course of study |
| sur le fond | on the substance |
| sur le fondement de | under |
| sur proposition de | on the advice of |
| surgi | arising |
| survenir | to take place, to occur |

| | |
|---|---|
| susceptible d'appel | open to appeal |
| susvisé | aforementioned |
| système (m) de la personnalité des lois | personal law, *system of law based on racial origin* |
| système (m) de la territorialité | *system of law based on place of residence* |
| système (m) dualiste | dualist system |
| système (m) moniste | monist system |

**T**

| | |
|---|---|
| temps (m) | stage, phase |
| tiers (m) | third party |
| Tiers Etat (m) | the Third Estate |
| tirage (m) au sort | random selection |
| titre (m) | certificate of practice |
| traité (m) | treaty |
| trancher | to adjudicate, to resolve |
| se transporter sur les lieux | to go to the scene of the crime |
| travaux (m) dirigés | tutorial |
| tribunal (m) administratif | administrative court |
| tribunal (m) correctionnel | n.t. |
| tribunal (m) de commerce | commercial court, commercial tribunal |
| tribunal (m) de grande instance | n.t. |
| tribunal (m) d'instance | n.t. |
| tribunal (m) de police | n.t. |
| Tribunal (m) des conflits | Jurisdiction Disputes Court |
| tribunal (m) pour enfants | juvenile court, youth court |
| tribunal (m) répressif | criminal court |

**V**

| | |
|---|---|
| valeur (f) constitutionnelle | constitutional status, constitutional value |
| veiller au respect de | to oversee compliance with |
| viol (m) | rape |
| visa (m) | *reference to legal text* |
| visite (f) domiciliaire | house search |
| voie (f) de recours ordinaire | *ordinary means of appeal* |
| se voir décerner | to be awarded |
| vu | given, having seen |

# Bibliography

**Bell, John**, *French Constitutional Law*, Oxford: Clarendon Press.

**Brachet, Bernard**, *Droit constitutionnel et administratif: capacité en droit, DEUG droit*, Paris: A.E.S.

**Brown, L. Neville**, *French Administrative Law*, Oxford: Oxford University Press.

**Burdeau, Georges**, Hamon, Francis and Troper, Michel, *Droit Constitutionnel*, Paris: Librairie générale de droit et de jurisprudence.

**Cairns, Walter** and McKeon, Robert, *Introduction to French Law*, London: Cavendish.

**Capitant, Henri**, Weill, Alex and Terré, François, *Les grands arrêts de la jurisprudence civile*, Paris: Dalloz.

**Carbonnier, Jean**, *Droit civil. Introduction. Les personnes*, Paris: Dalloz.

**Chantebout, Bernard**, *Droit Constitutionnel et Science Politique*, Paris: Armand Colin Editeur.

**Chapus, René**, *Droit du contentieux administratif*, Paris: Montchrestien.

**Code civil**, Paris: Dalloz.

**Code de procédure pénale**, Paris: Dalloz.

**Couchez, Gérard**, *Procédure civile*, Paris: Sirey.

**Croze, Hervé** and Morel, Christian, *Procédure civile*, Paris: PUF.

**Dadomo, Christian** and Farran, Susan, *French Legal System*, London: Sweet and Maxwell.

**David, René**, *Le droit français. Tome 1: les données fondamentales du droit français*, Paris: Librairie générale de droit et de jurisprudence.

**David, René**, *French law: its structure, sources and methodology*, Baton Rouge: Louisiana State University Press.

**David, René**, *Major Legal Systems in the World Today*, London: Stevens.

**Defrénois-Souleau, Isabelle**, *Je veux réussir mon droit. Méthodes de travail et clés du succès*, Paris: Colin.

**Dickson, Brice**, *Introduction to French Law*, London: Pitman.

**Dreyfus, Francoise** and d'Arcy, François, *Les Institutions politiques et administratives de la France*, Paris: Economica.

**Dubourg-Lavroff, Sonia** and Pantélis, Antoine, *Les décisions essentielles du Conseil constitutionnel: des origines à nos jours*, Paris: L'Harmattan.

**Favoreu, Louis** and Philip, Loïc, *Les grandes décisions du Conseil constitutionnel*, Paris: Sirey.

**Frison-Roche, Marie-Anne**, *Introduction générale au droit*, Paris: Dalloz.

**Kahn-Freund, Otto**, Lévy, Claudine and Rudden, Bernard, *A Source-Book on French Law*, Oxford: Clarendon Press.

**Ghestin, Jacques** and Goubeaux, Gilles, *Traité de Droit Civil. Tome 1. Introduction Générale*, Paris: Librairie générale de droit et de jurisprudence.

**Guillien, Raymond**, *Lexique de termes juridiques*, Paris: Dalloz.

**Larguier, Jean**, *Procédure pénale*, Paris: Dalloz.

**Larguier, Jean**, *Procédure civile: droit judiciaire privé*, Paris: Dalloz.

**Leclerq, Claude**, *Travaux dirigés de droit constitutionnel: documents, dissertations, commentaires*, Paris: Litec.

**Lobry, C**, *Droit: BTS. Tome 1*, Paris: Techniplus.

**Maus, Didier**, *Les grands textes de la pratique institutionnelle de la Cinquième République*, Paris: Documentation française.

**Mazeaud, Henri** and Mazeaud, Denis, *Méthodes de travail. DEUG Droit*, Paris: Montchrestien.

**Mendegris, Roger** and Vermelle, Georges, *Le commentaire d'arrêt en droit privé. Méthode et exemples*, Paris: Dalloz.

**Merryman, John Henry**, *The civil law tradition: an introduction to the legal systems of Western Europe*, Stanford, California: Stanford University Press.

**Nouveau code de procédure civile**, Paris: Dalloz.

**Pactet, Pierre**, *Exercices de droit constitutionnel*, Paris: Masson.

**Pactet, Pierre**, *Institutions politiques, droit constitutionnel*, Paris: Masson.

**Pactet, Pierre**, *Textes de droit constitutionnel*, Paris: Librairie générale de droit et de jurisprudence.

**Perrot, Roger**, *Institutions judiciaires*, Paris: Montchrestien.

**Pollard, David**, *Sourcebook on French Law*, Oxford: Cavendish.

**Pradel, Jean**, *Le juge d'instruction*, Paris: Dalloz.

**Recueil Dalloz-Sirey**, de doctrine, de jurisprudence et de la législation, Paris: Editions Dalloz-Sirey.

**Roussillon, Henri**, *Le Conseil constitutionnel*, Paris: Dalloz.

**Stefani, Gaston**, *Procédure pénale*, Paris: Dalloz.

**Vincent, Jean**, *La Justice et ses institutions*, Paris: Dalloz.

**West, Andrew**, *The French Legal System: An Introduction*, London: Format.

**Weston, Martin**, *An English Reader's Guide to the French Legal System*, Oxford: Berg.

# Answers to exercises

## Unit 1

### Exercice 1

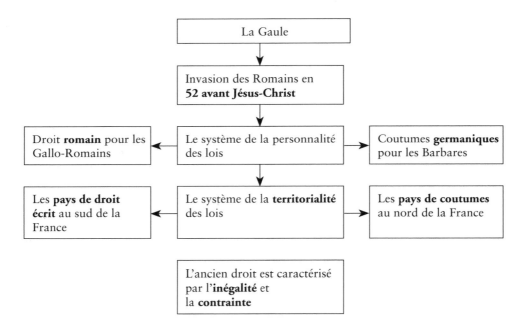

### Exercice 2

le Code Napoléon     –   le Code civil
une loi révolutionnaire   –   la Déclaration des droits de l'homme et du citoyen
la liberté individuelle   –   la liberté contractuelle
le principe de la laïcité –   la sécularisation du droit
l'inégalité            –   le droit d'aînesse

### Exercice 3

### Introduction

Deux périodes doivent être distinguées, de très inégale longueur, mais d'égale importance pour la formation du Code civil: **l'ancien droit**, c'est-à-dire tout le droit antérieur au 14 juillet **1789** et **le droit intermédiaire** (entre l'ancien droit et le Code civil), c'est-à-dire le droit de la Révolution.

### L'ancien droit

Quant à la forme, l'ancien droit se caractérise par une extrême **diversité**. C'est d'abord la diversité territoriale. D'une province à l'autre, le droit n'est pas le même: il faut séparer **pays de droit écrit** (romain) au sud de la France et **pays de coutumes** (imprégnés de droit germanique) dans le reste de la France.

### Le droit intermédiaire

Dans cette période, où les idées **révolutionnaires** imprègnent le droit, la contrainte et l'inégalité disparaissent.

### Le Code civil

Le Code civil de 1804 a été préparé par une commission de quatre juristes: **Tronchet**, président du Tribunal de cassation, **Portalis**, Bigot de Préameneu et Maleville.

On trouve dans le Code civil une matière venue de l'ancien droit, toute une masse de dispositions empruntées au droit romain et aux coutumes. Mais, il faut voir d'où vient l'esprit qui anime la matière: c'est de la **Révolution**. Le Code civil tient de là les traits essentiels de son idéologie:

(a) Négativement, **la laïcité**. Le Code civil a été le premier à séparer de l'Eglise le droit civil.

(b) Positivement, l'individualisme. Expression civiliste de la Déclaration des droits de l'homme et du citoyen, le Code civil paraît comme une triple exaltation de l'égalité, de la **liberté**, de la volonté de l'homme.

### Exercice 4

1  ce qui
2  ce que
3  ce que
4  ce que/ce qui
5  ce qui

# Unit 2

### Exercice 1

1  un président **élu**
2  des problèmes **résolus**
3  aux pouvoirs **renforcés**
4  une doctrine **établie**
5  une constitution **écrite**

## Exercice 2

1 PRESIDENT
2 DISCOURS
3 SUFFRAGES
4 REVISION
5 DISSOUDRE
6 SAISINE
7 ELIRE

*Key word*: POUVOIR

## Exercice 3

1 le Premier ministre
2 le secrétaire d'Etat
3 le président de la République ou chef de l'Etat
4 le ministre délégué
5 le ministre d'Etat

## Exercice 4

1 Un parlement à deux assemblées.
2 Au suffrage indirect.
3 Dans le cadre de leur stricte activité, les parlementaires peuvent s'exprimer librement et sont donc protégés contre toutes poursuites judiciaires.
4 Le projet de loi émane du gouvernement, la proposition de loi émane d'un parlementaire.
5 Un texte législatif doit être examiné successivement par les deux assemblées; chaque examen constitue une lecture; la succession de lectures s'appelle la navette, qui se poursuit jusqu'à l'adoption d'un texte identique.

# Unit 3

## Exercice 1

1 faux
2 faux
3 vrai
4 vrai
5 faux

## Exercice 2

### La Constitution

Au sommet de la hiérarchie des normes figure le **bloc de constitutionnalité**. La Déclaration de **1789** et le préambule de **1946** font partie de ce bloc de constitutionnalité et tirent leur valeur constitutionnelle sous la V^e^ République de la référence qui en est faite dans la Constitution de **1958**. Les principes fondamentaux reconnus par les lois de la République ont **valeur constitutionnelle**.

Créé en 1958, le **Conseil constitutionnel** contrôle la conformité des lois à la Constitution.

### Les lois organiques

Les lois organiques déterminent les règles d'organisation et de fonctionnement des **pouvoirs publics**. Alors que l'examen du texte par le Conseil constitutionnel n'est que **facultatif** lorsqu'il s'agit d'une loi ordinaire, il est **obligatoire** pour les lois organiques qui ne peuvent être promulguées qu'après que le Conseil constitutionnel les ait déclarées **conformes** à la Constitution.

## Exercice 3

1   Le Conseil d'Etat, la Cour de cassation et la Cour de Justice des Communautés Européennes.
2   Le système moniste.
3   Une ratification ou une approbation régulière; la publication au Journal officiel et la réciprocité dans son exécution.
4   L'arrêt Nicolo s'aligne sur la décision de la Cour de cassation qui reconnaît la supériorité du traité sur les lois internes.
5   L'article 55.

## Exercice 4

Cette question soulève le débat suivant: était-il conforme à la Constitution de choisir d'élire un vice-président de la République en utilisant le référendum plutôt que de recourir à l'article 89?

## Exercice 5

1   disposition
2   législation
3   élaboration
4   ratification
5   publication
6   saisine
7   révision
8   dissolution

## Exercice 6

| | | | | | | | | | | | |
|---|---|---|---|---|---|---|---|---|---|---|---|
| R | A | T | I | F | I | C | A | T | I | O | N |
| E | | | | | | | | R | | | O |
| G | | | | | | | | A | | | R |
| L | E | G | I | S | L | A | T | I | F | | M |
| E | | | | A | | | | T | | | A |
| M | | A | V | I | S | | | R | E | P | T |
| E | | | | S | | | | | | | I |
| N | U | L | | I | | | | | | | V |
| T | | | P | R | E | A | M | B | U | L | E |

## Exercice 7

**1** la règle
**2** le règlement
**3** réglementaire
**4** régler
**5** régulière
**6** réglée
**7** la réglementation

# Unit 4

## Exercice 1

La jurisprudence est devenue une **source** de droit d'une importance considérable, bien que les **décisions** des juges n'aient autorité que dans les **litiges** qu'ils tranchent. L'article 5 du Code civil **énonce**:

> «Il est défendu aux **juges** de prononcer par voie de disposition générale et réglementaire sur les causes qui leur sont soumises.»

Le principe est rappelé à l'article 1351 du **Code civil** qui limite l'autorité des jugements. Les juges doivent **interpréter** les textes. La doctrine se réfère préférablement à la jurisprudence dite **constante** qui peut elle-même faire l'objet d'un **revirement**. Les juges ne sont pas tenus de suivre un **précédent** et ne peuvent refuser de juger sous peine de commettre un **déni de justice**.

## Exercice 2

La coutume est à l'heure actuelle une autre source secondaire du **droit français**. Elle complète alors la loi et peut aussi **combler** les lacunes de la loi.

La jurisprudence est constituée par l'ensemble des **décisions** concordantes rendues par les juridictions. Le système français ne connaît pas en principe l'autorité du **précédent** comme dans le système de *common law*, en ce sens qu'il n'est pas tenu de **se conformer** à ses décisions antérieures.

La doctrine n'est certainement pas une **source** de droit écrit puisque l'opinion doctrinale ne s'impose pas au juge. Mais la **doctrine** est une autorité en droit puisque le juge peut s'en inspirer pour résoudre une question de droit difficile. La doctrine peut également suggérer au **législateur** les réformes qui sont nécessaires.

Les **principes généraux** du droit constituent la principale source non écrite du droit administratif. Leur respect s'impose à toutes les **autorités** administratives.

# Unit 5

## Exercice 1

1 décision
2 cour
3 juridiction de droit commun
4 conseil
5 pouvoir exceptionnel
6 affaire administrative

## Exercice 2

1 Il appartient à l'ordre judiciaire.
2 Oui.
3 Il statue en premier et dernier ressort pour tous les litiges d'une valeur inférieure à 13 000F.
4 C'est une juridiction à juge unique.
5 Elle juge uniquement du droit.
6 C'est une juridiction qui a une compétence d'attribution. On l'appelle aussi une juridiction spécialisée.
7 Il n'est pas composé de magistrats de carrière, il est formé de commerçants élus par leurs pairs.

## Exercice 3

### La Cour d'assises

Le crime, l'**infraction** la plus grave (comme le meurtre, le vol à main armée), est porté devant la Cour d'assises. La Cour est composée de trois **magistrats** de carrière et, en outre, de neuf **jurés** populaires tirés au sort: le «jury». Les jugements de la Cour d'assises sont sans **appel**. On admet, en revanche, le **recours en cassation** qui vise non pas la réformation au fond, mais l'annulation pour **erreur de droit**. Ainsi, un **jugement** d'acquittement ne peut être cassé que dans l'intérêt de la loi.

# Unit 6

## Exercice 1

Le Conseil d'Etat est la juridiction **suprême** de l'ordre administratif. Par la place qu'il occupe dans la hiérarchie judiciaire, il est quelque peu comparable à ce qu'est la **Cour de cassation** pour les juridictions de l'ordre **judiciaire**. Pourtant le Conseil d'Etat n'est pas seulement doté d'attributions exclusivement **juridictionnelles**, il est également investi d'une compétence **consultative**. Ainsi les projets de lois, les ordonnances et les **décrets** sont soumis «pour avis» au Conseil d'Etat. Le gouvernement n'est pas obligé de suivre l'**avis** du Conseil, même lorsque celui-ci est obligatoire.

## Exercice 2

1  Pour remédier à l'encombrement du Conseil d'Etat.
2  Il est juge en premier et dernier ressort, en appel et en cassation.
3  Elle a une compétence d'attribution.
4  Il peut se prononcer sur des questions de droit à la demande des juridictions administratives de droit commun.
5  Elle contrôle les comptes publics.

## Exercice 3

| | |
|---|---|
| le recours | le pourvoi |
| le litige | l'affaire |
| la compétence | le ressort |
| le plaideur | le demandeur |
| pénal | répressif |
| statuer | juger |
| d'exception | spécialisé |
| faire appel | interjeter appel |
| le tribunal de premier degré | la juridiction de première instance |
| juger en fait | juger au fond |

# Unit 7

## Exercice 1

Le Tribunal des conflits a été créé pour régler des conflits de **compétence**. Il évite les **dénis de justice** en désignant l'ordre compétent. Il est indépendant des deux **ordres** de juridiction. En matière de compétence, les conflits dont le Tribunal des conflits a à connaître peuvent se présenter sous deux formes:

- soit une double affirmation d'incompétence (**conflit négatif**);
- soit une double revendication de compétence (**conflit positif**).

## Exercice 2

**1** neuf ans
**2** au Conseil constitutionnel
**3** facultatif
**4** un citoyen
**5** décisions

## Exercice 3

| Juridiction | Composition | Compétence territoriale | Compétence d'attribution | Recours possible en appel et/ou en cassation |
|---|---|---|---|---|
| Cour d'assises | 3 juges et 9 **jurés** | 1 par département | crime | **recours en cassation** |
| tribunal correctionnel | 3 juges | au moins 1 par **département** | **délit** | **appel** |
| tribunal de police | **1 juge** | 1 par **arrondissement** | **contravention** | appel |
| la Haute cour de justice | 24 **parlementaires** | 1 au niveau national | haute trahison du fait du président de la République | **aucun recours possible** |
| la Cour de justice de la République | 12 parlementaires et 3 magistrats de carrière | **1 au niveau national** | **crimes et délits des membres du gouvernement** | aucun recours possible |

# Unit 8

## Exercice 1

**(a)**

LA COUR; – Sur le moyen unique: – **Vu** l'art. 1382 c.civ.; – Attendu que ce texte ordonnant que l'auteur de tout fait ayant causé un dommage à autrui sera tenu de le réparer, n'exige pas, en cas de décès, l'existence d'un lien de droit entre le défunt et le demandeur en indemnisation; – **Attendu que** l'arrêt **attaqué**, statuant sur la demande de la dame Gaudras en réparation du préjudice résultant pour elle de la mort de son concubin Paillette, tué dans un accident de la circulation dont Dangereux avait été jugé responsable, a infirmé le jugement de **première** instance qui avait fait droit à cette demande en retenant que ce concubinage offrait des garanties de stabilité et ne présentait pas de caractère délictueux, et a **débouté** ladite dame Gaudras de son action, au seul **motif** que le concubinage ne crée pas de droit entre les concubins ni à leur profit vis-à-vis des tiers; qu'en subordonnant ainsi l'application de l'art. 1382 à une condition qu'il ne contient pas, la Cour d'**appel** a violé le texte susvisé;

Par ces motifs, **casse**, renvoie devant la Cour d'appel de Reims.

**(b)**

1 A car accident in which M. Paillette, the live-in partner of Mme Gaudras, was killed.
2 Mme Gaudras brought the initial action against the driver, called Dangereux.
3 The court of first instance allowed the claim for damages.
4 The Court of Appeal allowed the appeal on the basis that the status of being a live-in partner did not give rise to any legal relationship that could be the basis of a claim for damages.
5 The *Cour de cassation* quashed the decision of the Court of Appeal on the basis that it had made an error in law by imposing a condition (i.e. the existence of a legal relationship) for the application of article 1382 of the Civil Code, which states that anyone causing damage to another must repair that damage.

## Exercice 2

1 Cass. com., 6 fév. 1996.
2 Nice, 15 nov. 1986.
3 T.I., Nancy, 19 oct. 1975.
4 C.E. 30 mai 1984.
5 Cass. 3e. civ., 9 janv. 1988.

# Unit 9

## Exercice 1

### L'action en justice (art. 30 NCPC)

«l'action est le **droit**, pour l'auteur d'une **prétention**, d'être entendu sur le **fond** afin que le juge la dise bien ou mal **fondée**.»

## Intérêt et qualité (art. 31 NCPC)

«l'action est **ouverte** à tous ceux qui ont un **intérêt** légitime au succès ou au **rejet** d'une prétention, sous réserve des cas dans lesquels la **loi** attribue le droit d'**agir** aux seules personnes qu'elle qualifie...».

## Exercice 2

A 4
B 6
C 5
D 2
E 3
F 8
G 1
H 7

## Exercice 3

1 **Au cours du** procès, l'adversaire a introduit une demande reconventionnelle.
2 Le juge a prononcé le divorce **aux torts de** l'épouse.
3 Il n'a pas pu agir en justice **en raison de** son incapacité juridique.
4 **A partir du** moment où vous soulevez une fin de non-recevoir, le juge ne peut plus examiner le fond du litige.
5 **En ce qui concerne** l'exception d'incompétence, celle-ci peut être formée par l'adversaire du demandeur.

## Exercice 4

droit        = pouvoir
défendeur = adversaire
habiliter    = autoriser
décision    = arrêt
prétention = demande
instance    = procès
affaire      = litige

## Exercice 5

1 PLAIDOIRIES
2 ENROLER
3 CONCLUSIONS
4 CONTRADICTOIRE
5 MISE EN ETAT
6 ASSIGNATION

*Key word*: PROCES

# Unit 10

## Exercice 1

**1** enquête et poursuite
instruction
procès
**2** non contradictoire
secrète
écrite
**3** officier de police judiciaire (OPJ)
agent de police judiciaire (APJ)
**4** la peine
**5** les dommages-intérêts

## Exercice 2

**1** perquisitionner
**2** saisir
**3** comparaître
**4** arrêter
**5** avertir
**6** poursuivre
**7** dénoncer
**8** citer
**9** requérir
**10** assigner

## Exercice 3

| | |
|---|---|
| ordonnance de clôture | D |
| décision de non-lieu | A |
| décision de renvoi | F |
| mise en examen | C |
| réquisitoire introductif | E |
| comparution immédiate | B |

## Exercice 4

«Vous **jurez** et **promettez** d'**examiner** avec l'attention la plus **scrupuleuse** les charges qui seront **portées** contre X, de ne **trahir** ni les intérêts de l'accusé, ni **ceux** de la société qui l'**accuse**; de ne **communiquer** avec personne jusqu'à votre déclaration; de n'**écouter** ni la haine ou la méchanceté, ni la crainte ou l'affection; de vous **décider** d'après les charges et les moyens de la défense, suivant votre conscience et votre intime conviction avec l'impartialité et la fermeté qui **conviennent** à un homme probe et libre et de **conserver** le secret des délibérations même après la cessation de vos fonctions.»

## Exercice 5

| saisir | la saisie | la saisine |
| conseiller | le conseil | le conseiller |
| accuser | l'accusé | l'accusatoire |
| délibérer | le délibéré | les délibérations |
| défendre | la défense | le défendeur |

# Unit 11

## Exercice 1

| **1** l'assignation | la requête |
| **2** l'action | le recours |
| **3** la Cour de cassation | le Conseil d'Etat |
| **4** le demandeur | le requérant |
| **5** l'ordre judiciaire | l'ordre administratif |

## Exercice 2

**1** Elle est inquisitoire.

**2** Il doit exposer ses conclusions sur les affaires portées devant les juridictions administratives, du point de vue du technicien du droit. Il donne son appréciation «en toute indépendance» de l'Administration, d'une manière impartiale suivant sa conscience (C.E. Sect. 10 juillet 1957, Gervaise).

**3** Le requérant saisit le juge administratif au moyen d'une requête introductive d'instance, déposée directement au greffe de la juridiction compétente.

**4** Le premier vise à annuler les actes administratifs jugés illégaux alors que le second vise à voir reconnaître la responsabilité de l'Administration et traite des contrats administratifs.

**5** Le juge administratif a un rôle inquisitoire. Les parties au procès administratif ne peuvent présenter que de brèves observations orales, sans adjonction d'éléments nouveaux et lorsque le juge les y autorise.

# Unit 12

## Exercice 1

**1** faux
**2** vrai
**3** faux
**4** faux
**5** vrai

## Exercice 2

**1** juger
**2** le conseiller
**3** la magistrature assise
**4** là magistrature du parquet
**5** l'avocat
**6** promulguer

## Exercice 3

**1** la plaidoirie
**2** la postulation
**3** le conseil
**4** l'assistance
**5** la représentation
**6** le mandat

## Exercice 4

| | | | | | | | | |
|---|---|---|---|---|---|---|---|---|
| ¹B | A | T | O | N | ²N | I | E | R |
| A | | | | | O | | | |
| R | | ³J | U | S | T | I | C | E |
| R | | | | A | | | | ⁴G |
| E | | ⁵E | | R | | | | R |
| ⁶A | U | X | I | L | I | A | I | R | E |
| U | | E | | E | | | | F |
| | ⁷A | C | T | E | | ⁸A | | F |
| | | U | | ⁹A | V | O | U | E |
| ¹⁰T | I | T | R | E | | O | | |
| | | I | | | ¹¹C | O | U | R |
| | | O | | | A | | | |
| ¹²C | O | N | S | T | A | T | | |

## Exercice 5

| Personnel judiciaire | Fonction (assistance ou représentation) | Juridiction |
|---|---|---|
| avocat | **assistance** | Cour d'appel |
| **avocat à la Cour de cassation** | représentation | Cour de cassation |
| avoué | **représentation** | Cour d'appel |
| avocat | assistance | tribunal de grande instance |
| **avocat au Conseil d'Etat** | assistance | Conseil d'Etat |

# Unit 13

## Exercice 2

### Suggested translation of the decision of 30 July 1982:

The *Conseil constitutionnel*

had submitted to it on 21 July 1982 by Mr Jean-Claude Gaudin, *député*, and other members of the National Assembly, as per procedures set out in article 61(2) of the Constitution, the text of the Act on prices and revenues as passed by Parliament, in particular articles 1, 3 and 4 therein,

given the Constitution,

given that the statutory instrument of 7 November 1958 has the status of constitutional law regarding the *Conseil constitutionnel*, in particular, the articles in Part II of the said statutory instrument,

. . .

on article 3 of the Act,

. . .

*with regard to paragraph V,*

9. considering that this paragraph states: "Companies in breach of the provisions of this article are liable to fines of between 20 and 50 francs per share", and that, in the view of the members of the National Assembly who have submitted

this text, the said provision should be doubly criticised for a) ignoring the principle of criminal law which states that criminal sanction applies only to private individuals and b) for imposing a fine applicable to minor offences and which (therefore) does not fall within the field of parliamentary legislation,

10. considering that, on point a) no constitutional principle exists which is opposed to companies being fined,

11. considering that, on point b) although articles 34 and 37(1) of the Constitution draw a distinction between parliamentary legislation and government regulations, the scope of these articles should be interpreted in the light of articles 37(2) and 41; that article 41, during parliamentary procedure, allows the Government to oppose a regulatory provision being inserted by citing inadmissibility while article 37(2), once an Act has been promulgated and declassified, restores regulatory power to the Government and gives it the right to change such a provision by decree; that both procedures are discretionary; that it seems therefore, according to articles 34 and 37(1), that the Constitution did not intend to strike down as unconstitutional the regulatory provision contained in an Act but rather to recognise that regulatory power has its own domain alongside that of parliamentary legislation and, by enacting the specific provisions of articles 37(2) and 41, to confer on the Government the power to protect the Constitution from possible encroachments by Acts of Parliament; that, in these circumstances, the *députés* who have applied to this court cannot take advantage of the fact that Parliament has intervened in the field of government regulations in order to claim that the provision which they have criticised is in breach of the Constitution,

. . .

decides:

ARTICLE ONE: that the Act governing prices and revenues complies with the Constitution.

# Unit 14

## Exercice 1

1 Le D.E.U.G. en droit **se prépare** en deux ans.
2 Le second cycle des études universitaires **se consacre** à la licence.
3 Son doctorat en droit privé **se terminera** en fin d'année.
4 En deuxième année du D.E.U.G. le droit administratif **s'ajoute** aux six matières déjà enseignées.
5 Toutes les dissertations juridiques **s'écrivent** selon un plan.

**Exercice 2**

**1** le D.E.U.G.
**2** le cours magistral
**3** le C.F.P.A.
**4** maîtrise plus E.N.M.
**5** dans un I.E.J.

# *Index*

Note: this index is unconventional in that it is the Glossary terms with page references; entries in italics are additional. References are mostly drawn from the main text only.

à charge d'appel 36
à huis clos 75, 88
à perpétuité 40
à temps 40
a titre exceptionnel 15
aborder 109
accord (m) 23
accru (infinitive: accroître) 2
accusatoire 75, 79, 88
accusé(e) 88
acte d'huissier (m) 71
acte (m) d'information 85
acte (m) de procédure 101
acte (m) exécutoire 104
acte (m) instrumentaire 103, 104
*acte (m) notarié 103, 104*
acte (m) signifié par huissier 83
action (f) civile 70, 80, 83
action (f) en divorce 70–1
action (f) en justice 70–1
action (f) publique 80, 83
actuel 71
administration (f) des preuves 88
affaire (f) 35, 36, 37, 38, 93
*âge (m) légal 5*
agent (m) de police judiciaire 80
alinéa (m) 63
aménagement (de) (m) 110
amende (f) 40
amphithéâtre (m) 122
ancien droit (m) 1, 4, 32
animer 14
*annulation (f) 27*
appel (m) 35, 37, 41, 47, 48, 88
appel (m) des causes 73
arbitrage (m) juridique 110
*argumentation (f) juridique 93*
arrestation (f) 83
arrêt (m) 24, 31, 35, 36, 113, 114
arrêt (m) de cassation 38, 61, 62, 68

arrêt (m) de principe 31, 113
arrêt (m) de rejet 38, 61, 62
arrêt (m) définitif 48
arrêté (m) 27
Assemblée (f) nationale 11, 14, 17, 22, 25, 111, 112
assemblée (f) parlementaire 54, 111
assemblée (f) plénière 38
assignation (f) 71
assigné 71, 83
assigner 63, 93
assistance (f) 101, 104
attendu (m) 61, 62
attendu que 61, 62
attribution (f) administrative 46
attributions (f) 10, 111
au premier tour 10
au sein de 2
au suffrage indirect 17
au suffrage universel direct 10, 17
audience (f) 75, 94–5, 101
audience (f) des plaidoiries 73
audition (f) des témoins 82, 83, 88, 94
autorité (f) judiciaire 9, 11, 30
aux pouvoirs renforcés 80
aux torts de 73
auxiliaire (m) de justice 101, 103, 104
avant . . . ans révolus 5
avènement (m) 8
avertissement (m) 83
avis (m) 26, 38, 111
avocat(e) 93, 94, 101, 103, 104, 125–6
avocat(e) stagiaire 126
avoir force authentique 104
avoir force de précédent 4
avoir force exécutoire 104
avoir intérêt pour agir 70
avoir qualité pour agir 70
avoir un caractère réglementaire 25
avoué (m) près les Cours d'appel 104

barre (f) 101
barreau (m) 101, 102
bâtonnier (m) 102
bicaméral 17
bien fondé (m) 70
bien immobilier (m) 104
bien ou mal fondé 70
bloc (m) de constitutionnalité 20, 110
branche (f) 62

cabinet d'avocats (m) 101, 102, 123, 125, 126
*caractère (m) réglementaire 25*
le cas échéant 40, 111
casser 38
cession (f) de brevet 101
*chambre (f) civile 37, 38*
*chambre (f) commerciale 37, 38*
chambre (f) correctionnelle 37, 41
chambre (f) criminelle 38, 40, 41
chambre (f) d'accusation 37, 41, 85
chambre (f) mixte 38
chambre (f) sociale 37, 38
charge (f) 103
charges (f) 40
chef (m) de l'Etat 10, 14, 111
circuit (m) court 73
circuit (m) long 73
citation (f) directe 83
citer 67
citer à comparaître 71
*client (m) 101*
clôture (f) des débats 75
Code (m) civil 2, 4–5, 30
Code (m) d'instruction criminelle 4
Code (m) de commerce 4
Code (m) de procédure civile 4, 70
Code (m) des douanes 24
*Code (m) Napoleon 4, 32*
Code (m) pénal 4, 79
coercitif 82, 85
cohabitation (f) 14
Comité (m) constitutionnel 53, 109
commentaire (m) d'arrêt 113–14, 122
commissaire (m) du gouvernement 94
Commission (f) d'instruction 57
commission (f) des requêtes 57
comparution (f) 93
comparution (f) immédiate 83
comparution (f) volontaire 83
compétence (f) d'attribution 25, 47, 54

*compétence (f) exclusive 37*
compétence (f) juridictionnelle 35, 36, 37, 38, 40, 41, 46
comptable (m) public 48
conclusions (f) 72, 94
concours (m) 125, 126
concubin(e) 66
condamné(e) 88
confier à 110
conflit (m) de compétence 52
conflit (m) négatif 52
conflit (m) positif 52
conseil (m) 101, 104
Conseil (m) constitutionnel 9, 11, 20, 21, 22, 25, 27, 36, 53–4, 98, 110, 111, 112
Conseil (m) d'Etat 24, 26, 27, 35, 36, 46–7, 48, 93, 95, 98, 101, 104, 126
Conseil (m) de l'Ordre 102, 104
Conseil (m) de prud'hommes 37
Conseil (m) des ministres 11, 15, 26
conseil (m) juridique 101
Conseil (m) supérieur de la Magistrature 97
conseiller (m) 53, 98
conseiller (m) général 17
conseiller (m) régional 17
conserver les moyens de preuve 82
considérant que 61
constituant (m) 10, 14, 53, 110
*Constitution (f) 20–1, 22, 23, 25, 27, 53*
constitution (f) de partie civile 80
consultatif 35, 111
contentieux (m) d'annulation 92
contentieux (m) de pleine juridiction 92
contentieux (m) électoral 111
contestation (f) 37, 92, 111
contradiction (f) 75
contradictoire 75, 79, 88
contravention (f) 40
contreseing (m) 11
contrôle (m) juridictionnel 41
convocation (f) par procès-verbal 83
corps (m) du devoir 109
coupable 31
Cour (f) administrative d'appel 35, 47, 48, 92
Cour (f) d'appel 35, 37, 38, 41, 67, 101, 104
Cour (f) d'assises 40, 85, 88
Cour (f) d'assises des mineurs 40

Cour (f) de cassation 24, 35, 38, 40, 41,
  61–2, 93, 101, 104
Cour (f) de justice de la République 57
Cour (f) de Justice des Communautés
  Européennes 2
Cour (f) des comptes 48
cours (m) magistral 122
*coutume (f) 32*
coutumes (f) germaniques 1
crime (m) 17, 40, 85
culpabilité (f) 40
cumul (m) des mandats 10, 19

d'office 22
d'usage 108
dans un temps très voisin 82
de droit 53
de fond 8
de portée limitée 111
de tout fait 66
débats (m) 75–6, 88
décision (f) 4, 27, 30, 35, 37, 41, 47, 61,
  62, 67, 68, 95, 104
*décision (f) attaquée 92, 95*
décision (f) d'espèce 4
décision (f) de condamnation 88
décision (f) de mise en vigueur 111
décision (f) de non-lieu 85
décision (f) de relaxe 88
décision (f) de renvoi 85
Déclaration (f) des droits de l'homme et
  du citoyen 2, 20, 21, 110
déclencher 71, 112
déclencher l'action publique 83
se décomposer en 18
décret (m) 11, 18, 27, 47
défendeur (m) 71, 93
défense (f) au fond 73
*défense (f) du prevenu 88*
défunt(e) 66
dégager 114
délibérer 26, 88, 95
délit (m) 17, 40, 83
demande (f) 70, 102
demande (f) additionelle 73
demande (f) de la partie civile 88
demande (f) en intervention 73
demande (f) en reparation du préjudice 66
demande (f) incidente 73
demande (f) introductive d'instance 70
demande (f) reconventionnelle 73

demandeur (m)/demanderesse (f) 38, 62,
  70, 93
demandeur (m)/demanderesse (f) en
  indemnisation 66
démission 14
déni (m) de justice 31
dénonciation (f) de 82
se dépêcher sur les lieux 82
dépôt (m) de plainte 80
député (m) 17, 111
déroulement (m) du procès 88
déroulement (m) du scrutin 111
dès 23
désormais 110, 112
détention (f) 40, 83
détention (f) provisoire 41, 85, 86
détournement (m) de fonds 17
discernement (m) 63
discours (m) 10
disposer d'une compétence normative de
  droit commun 27
disposer du pouvoir réglementaire 14
dispositif (m) 61, 62
disposition (f) 5, 23
disposition (f) legislative 110
*dissertation (f) juridique 108–9, 113, 114,
  122*
dissolution (f) 11
doctrine (f) 31, 32
dommage (m) 66
dommages-intérêts (m) 80, 88
domaine (m) de la loi 26, 110
domaine (m) du règlement 110
domaine (m) législatif 25, 27
domaine (m) règlementaire 25, 27
donner un avis consultatif 46
dossier (m) de plaidoiries 73
dresser un acte authentique/un acte notarié
  104
dresser un constat 104
*droit (m) administratif 32, 92*
droit (m) communautaire 23
droit (m) d'agir 70
droit (m) d'aînesse 1
droit (m) d'association 110
droit (m) de faire grève 20
droit (m) de saisine 110
*droit (m) du pays 23*
droit (m) du travail 37, 123
*droit (m) écrit 20–7*
droit (m) fiscal 123

droit (m) intermédiaire 2, 4
droit (m) international 23, 24, 123
droit (m) interne 23
*droit (m) non écrit 30–2*
droit (m) romain 1

ébaucher 110
édicté 4
s'efforcer de 8
élaboration (f) de la loi 17–18, 26, 95
élection (f) partielle 111
*éléments (m) de droit 62*
éléments (m) de preuve 73
élu (infinitive: élire) 10
élus par leurs pairs 37
empiètement (m) du Parlement 27
*emprisonnement (m) 40*
en fonction de 26
en matière contraventionnelle 40, 85
en matière correctionnelle 83, 85
*en matière criminelle 85*
*en matière pénale 41*
en premier et dernier ressort 36, 37, 40,
  46–7
*en première instance 35*
en revanche 4
en tout état de cause 73
*en toute independance 94*
en vertu de 75
en vigueur 113
encourir des poursuites judiciaires 17
engendrer 8
énoncer 62
enquête (f) 73, 79, 82–3
enquête (f) de flagrance 82
enquête (f) préliminaire 82, 83
enrôler 72
entamer 8
entrer dans la compétence de 24
escroquerie (f) 17
étatique 2, 32
être assigné à comparaître 71
être assigné en divorce 73
être débouté de sa demande 62
être poursuivi 31
être responsable devant 9
être saisi d'un pourvoi (en cassation) 38
être tenu de 66
étude (f) 103, 108–9, 126
éventuel 71
examen (m) de classement 126

exception (f) d'inconstitutionnalité 54, 55
exception (f) de procédure 73
exécutif (m) 19
*exécutif (pouvoir) 14, 25, 30*
exécution (f) forcée 104
exécutoire 17
exercer l'action publique 97
exercer une profession libérale 125
exercer un droit de garde 63
exercer un ascendant 88
*exercer une action en justice 70*
*expertises (f) 73*

faire droit à 66
faire grâce 11
faire grief à 63
faire une reconstitution de l'infraction 85
fiche (f) d'arrêt 114
*fiche (f) de jurisprudence 122*
fin (f) de non-recevoir 73
formation (f) collégiale 37, 48, 86, 95

garant (m) 11, 20, 110, 111
*garantie d'impunité 57*
garde à vue (f) 82–3
Garde (m) des Sceaux 97, 98
Gaule (f) 1
*Gouvernement (m) 14–15*
Gouvernement (m) Général 8
grande partie (f) 108, 109
greffe (m) 93, 104
greffier (m) 72, 104

Haute cour (f) de justice 56–7
*haute juridiction (f) 110*
hiérarchie (f) des normes juridiques 4
honorifique 15
huissier (m) de justice 104

idée (f) directrice 109
s'immiscer dans 35
immixtion (f) 53
*immunité (f) parlementaire 17*
s'implanter 32
impliquer 63
imputation (f) 63
indemniser 92, 95
indices (m) graves 83
infirmer le jugement 66
infraction (f) 40, 79, 80, 83, 85, 88
infraction (f) flagrante 82

infraction (f) pénale 40
injonction (f) 95
inquisitoire 79, 92, 94
inscription (f) de faux 104
instance (f) juridictionnelle 57, 93
instruction (f) 40, 57, 72, 79, 83, 85–6, 94–5
interjeter appel 37, 41
interrogatoire (m) 88
intervention (f) forcée 73
intervention (f) volontaire 73
intime conviction (f) 88
intituler 108, 109
irresponsable 17

jeu (m) démocratique 110, 111
Journal (m) officiel 23, 111
juge (m) 30, 31, 35, 97–8, 126
*juge (m) administratif 126*
juge (m) arbitre 75
juge (m) consulaire 37
juge (m) d'instruction 40, 41, 85–6
juge (m) de la mise en état 73
juge (m) de première instance 47
juge (m) du droit 35
juge (m) du fond 35, 37, 38
juge (m) électoral 111
juge (m) rapporteur 94
jugement (m) 30, 35, 36, 37, 40, 75, 95, 104
jugement (m) avant dire droit 76
jugement (m) définitif 76
jugement (m) sur le fond 75–6
juré(e) 40, 88
juridiction (f) a juge unique 36
*juridiction (f) administrative 92, 93*
juridiction (f) collégiale 37
juridiction (f) d'exception 35, 36
juridiction (f) d'instruction 40, 41
*juridiction (f) de cassation 47*
juridiction (f) de droit commun 35, 37, 48
juridiction (f) de jugement 40, 41, 83, 85, 88
juridiction (f) de première instance 36, 37
juridiction (f) de renvoi 38
*juridiction (f) du premier degré 36*
juridiction (f) non rattachée 52
juridiction (f) pénale 40–1
juridiction (f) répressive 40, 41
juridiction (f) spécialisée 35, 37, 48

juridictionnel 109, 111
jurisprudence (f) 4, 30–1, 92
jurisprudence (f) constante 31
jurisprudence (f) controversée 31
juriste 4, 32, 122
jury (m) 40, 88
justiciable (m) 92

laïcité (f) 2, 4
lecture (f) 17, 22
législateur (m) 5, 25, 70
lésé 57
liberté (f) contractuelle 2, 4
*liberté (f) d'association 21*
*liberté (f) d'expression 21*
*liberté (f) individualle 4*
licenciement (m) abusif 37
lié par 111
lien (m) de droit 66
litige (m) 35, 37, 62, 70, 71, 111
loi (f) 2, 11, 17, 23–4
*loi (f) constitutionnelle 22*
loi (f) d'habilitation 26
*loi (f) interne 24*
loi (f) ordinaire 22
loi (f) organique 22, 54
loi (f) parlementaire 25
loi (f) référendaire 25
*loi (f) repertoriée 25*
lors des scrutins 111

magistrat (m) 32, 37, 38, 95, 97–8, 126
magistrat (m) de carrière 40, 88
magistrature (f) 97, 126
magistrature (f) assise 97
magistrature (f) debout 97
magistrature (f) du parquet 97, 98
magistrature (f) du siège 97, 98
maire (m) 17, 27
majorité (f) absolue 10, 22
majorité (f) relative 10
mandant (m) 101
mandat (m) 10, 17, 53
mandat (m) *ad litem* 101, 104
mandat (m) parlementaire 15
manifestation (f) de la vérité 85
mémoire (m) 94, 126
mémoire (m) en duplique 94
mémoire (m) en réplique 94
mention (f) 123
*mesures (f) d'instruction 94*

mesures (f) provisoires 73
mettre au point 8
mineur (m) 40
ministère (m) public 83, 88, 97, 98
ministre (m) à portefeuille 15
ministre (m) d'Etat 15
ministre (m) délégué 15
minute (f) 104
mis en délibéré 75
mise au rôle (f) 72
mise en accusation (f) 57
mise en état 72
mise en examen (f) 40, 41, 83, 86
motif (m) 38, 61, 62
motivation (f) 38
moyens (m) 62, 94
moyens (m) de défense 73
moyens (m) de droit 72, 94
moyens (m) de fait 72, 94

navette (f) 17
né 71
ne disposer que d'une compétence
    d'attribution 25
*neuf sages (m) 53, 111*
nomination (f) 10, 103
nommé 53
norme (f) communautaire 24
normes (f) juridiques 20
notaire (m) 103–4, 126
notamment 2
nul n'est censé ignorer la loi 18

octroyer 47
office (m) 22, 103
officier (m) de police judiciaire 80
officier (m) ministériel 103–4
officier (m) public 104
opportunité 111
oralité (f) 75–6
ordonnance (f) 11, 26, 47
ordonnance (f) de clôture 73, 85, 94
ordonnancement (m) juridique 20
ordre (m) 102
ordre (m) administratif 35
ordre (m) judiciaire 35–43, 97, 126
organe (m) juridictionnel 30, 35

par ces motifs 61
par la voie de 112
par voie d'action 112

par voie d'exception d'inconstitutionnalité
    112
parquet (m) 94, 97, 98
partiel (m) 122
passer outre 111
patrimoine (m) immobilier 1
pays (m) de *common law* 30, 67
pays (m) de coutumes 1
pays (m) du droit écrit 1
peine (f) 40, 79
peine de mort (f) 88
pénal 35, 79
perquisition (f) 82, 83, 85
personnalité (f) de premier plan 15
personne (f) mise en examen 40, 41
personne (f) physique 57
*personne (f) poursuivie 40*
*peuple (m) souverain 88*
pièce (f) 94
plaider 101
plaideur (m) 72
plaidoirie (f) 75, 94, 101
plan (m) 108–9, 113, 114
pleins pouvoirs (m) 11
police (f) administrative 79
police (f) judiciaire 79, 80, 82
*politique (f) pénale 97*
porter atteinte à 83
porter plainte 82
possibilité (f) d'auto-saisine 112
postérieur à 24, 110
postulation (f) 101
pour se faire contrepoids 17
poursuite (f) 17, 31, 40, 57, 79, 83
poursuivre 83
poursuivre au pénal 17
pourvoi (m) 62
pourvoi (m) en cassation 38, 88
pouvoir (m) exécutif 14, 25, 30
pouvoir (m) judiciaire 30
*pouvoir (m) législatif 4, 30*
pouvoir (m) partagé 10, 11
pouvoir (m) propre 10–11
*pouvoir (m) réglementaire 4*
pouvoirs (m) publics 25
préambule (m) 20, 21, 110
préfet (m) 27
préjudice (m) 80, 88, 92, 95
*Premier ministre (m) 14, 15, 27*
*première instance (f) 35*
prendre d'assaut 8

*prérogatives* *(f)* *111*
présenter un caractère délictueux 66
Président de la République 10–11, 14, 17, 25, 27
prétention (f) 38, 62, 70, 72, 94, 101
prêter serment 88
preuves (f) 40, 57
prévenu(e) 83, 88
primauté (f) 24
primordial 20
principe (m) de la séparation des pouvoirs 30
*principe* *(m)* *du contradictoire* *75*
principe (m) général du droit 32
principes (m) fondamentaux reconnus par les lois de la République 20, 21, 32, 85
prise (f) de connaissance 18
procéder à la rectification de 111
procédés (m) 72
*procédure* *(f)* *administrative* *92–5*
procédure (f) d'irrecevabilité 110
procédure (f) pénale 40, 79–86
procès (m) 38, 79, 88, 101
procès-verbal (m) 88
procureur (m) de la République 80, 82
procureur (m) général 57
profane 88
professeur (m) agrégé 122
projet (m) d'élaboration 8
projet (m) de décision 94
projet (m) de loi 17, 25
promulgation (f) 2, 11, 17, 18, 25
promulguer 22
prononcé (m) 73, 95
se prononcer 30, 40, 52
proposition (f) de loi 17, 22

se rallier à 88
rapport (m) de stage 126
*rapport* *(m)* *écrit* *94*
ratifié 23, 25, 26
recenser 113
recevable 37, 70
recherche (f) de paternité naturelle 71
réclamation (f) 92, 111
réclusion (f) 40, 88
reconnaître le bien fondé de la demande 38
recours (m) 40, 92, 93, 95
recours (m) pour excès de pouvoir 27, 47, 92

recrutement (m) latéral 126
recueil (m) 68
rédacteur (m) 4
*rédaction* *(f)* *d'actes* *101*
*rédaction* *(f)* *des décisions de justice* *61, 62*
rééligible 10
réexaminer en fait et en droit 37
*référendum* *(m)* *25, 111*
régir 20
règle (f) 20
règle de droit 4
règle (f) du précédent 30, 31
règle (f) impérative 5
règle (f) supplétive 5
règlement (m) 23, 26–7, 54
règlement (m) autonome 27
règlement (m) d'application 27
rendre un arrêt 38
rendre une décision 36, 67
repartition (f) 110
représentation (f) 93, 101, 104
requérant(e) 93, 94, 95
requête (f) introductive d'instance 93
réquisitoire (m) 88
réquisitoire (m) introductif 83
résolution (f) de mise en accusation 57
responsabilité (f) pénale 57
retenir 66
revirement (m) 31

saisie (f) 82, 85
saisine (f) 11, 22, 83, 92, 93, 110, 112
saisir 38
sanction (f) 70
scrutin (m) majoritaire à deux tours 10
secrétaire d'Etat (m) 14, 15
secrétariat-greffe (m) 72, 104
section (f) administrative 46
section (f) du contentieux 46
section (f) du rapport et des études 46
*Sénat* *(m)* *111, 112*
sénateur (m) 17, 111
septennat (m) 10
siéger 17, 67
signifier 104
signifier à 71
sous-partie (f) 108, 109
sous peine de forfaiture 35
sous-section (f) 46
sous-sous-partie (f) 108, 109

soutenance (f) de la thèse 123
souveraineté (f) nationale 20
stage (m) en entreprise ou en cabinet
   d'avocats 123
statuer sur 41, 102
subordonné à 23
suffrages (m) exprimés 10
suite (f) 109
suites (f) à donner 85
suivre une scolarité 126
sur le fond 52
sur le fondement de 63
sur proposition de 11
surgi 111
survenir 63
susceptible d'appel 37, 40
susvisé 66
système (m) de la personnalité des lois 1
système (m) de la territorialité 1
système (m) dualiste 23
système (m) moniste 23

temps (m) 18
tiers (m) 66, 73, 82
Tiers Etat (m) 1
tirage (m) au sort 88
titre (m) 103

titulaire de 125
traité (m) 11, 23, 24, 25, 54
trancher 75, 111
se transporter sur les lieux 85
travaux (m) dirigés 113, 114, 122
tribunal (m) 30, 104
tribunal (m) administratif 47, 92, 98
tribunal (m) civil 80
tribunal (m) correctionnel 40, 83, 88
tribunal (m) d'instance 36, 37, 40, 67
tribunal (m) de commerce 37, 104
tribunal (m) de grande instance 37, 40, 43
tribunal (m) de police 40, 88
Tribunal (m) des conflits 52–3
tribunal (m) pour enfants 40
tribunal (m) répressif 80, 83

valeur (f) constitutionnelle 21
veiller au respect de 9
victime (f) 88
viol (m) 88
visa (m) 62
visite (f) domiciliaire 83
voie (f) de recours extraordinaire 38
voie (f) de recours ordinaire 37
se voir décerner 125–6
vu 62